Sechs teils berühmte, teils weniger bekannte Erzählungen des großen Amerikaners, mit dem die Romantik zu Ende geht und die Moderne beginnt.

– Das Manuskript in der Flasche: Der Bericht von einem Geisterschiff, dessen Mannschaft, weder dem Leben noch dem Tode zugehörig, ihrem Untergang, ihrer Erlösung entgegensegelt.

– Eine Erzählung aus den Rauhen Bergen: Einerseits die Geschichte der durch Hypnose bewirkten Halluzination eines Morphinisten, andererseits eine Wiedergängergeschichte. Oder die Geschichte einer Nebelwanderung in die Tiefen des Ich.

– William Wilson: Ein Internatszögling und Universitätsstudent hat einen Doppelgänger, der ihm immer unliebsamer entgegentritt und zuletzt unerträglich wird.

– Der schwarze Kater: Eine Persönlichkeitszerstörung durch Alkohol. Verfolgungswahn? Oder Seelenwanderung unter Katzen, um die mißhandelte Kreatur am Menschen zu rächen?

– Die Maske des Roten Todes: Das bildkräftige Märchen von einer Gesellschaft, die auszog, den Tod zu überlisten.

– Ligeia: Schiere Willenskraft bringt eine Tote ins Leben zurück. Sinnestäuschungen eines Opiumrausches? Oder eine Art Orpheus-und-Eurydike-Geschehen?

Den nicht einfachen englischen Originaltexten ist, in Paralleldruck, eine möglichst genau erschließende deutsche Übersetzung beigegeben.

dtv zweisprachig · Edition Langewiesche-Brandt

EDGAR ALLAN POE

SIX GREAT STORIES

MEISTERERZÄHLUNGEN

Übersetzung von Hella Leicht

Deutscher Taschenbuch Verlag

Originalausgabe (Neuübersetzung)
März 1993

Umschlaggestaltung: Celestino Piatti
Gesamtherstellung: Kösel, Kempten
ISBN 3-423-09302-1. Printed in Germany

Ms. Found in a Bottle 6
Das Manuskript in der Flasche 7

A Tale of the Ragged Mountains 34
Eine Erzählung aus den Rauhen Bergen 35

William Wilson 60
William Wilson 61

The Black Cat 112
Der schwarze Kater 113

The Masque of the Red Death 136
Die Maske des Roten Todes 137

Ligeia 152
Ligeia 153

Ms. Found in a Bottle

> Qui n'a plus qu'un moment à vivre
> N'a plus rien à dissimuler.
>
> Quinault, *Atys*

Of my country and of my family I have little to say. Ill usage and length of years have driven me from the one, and estranged me from the other. Hereditary wealth afforded me an education of no common order, and a contemplative turn of mind enabled me to methodize the stores which early study very diligently garnered up. Beyond all things, the works of the German moralists gave me great delight; not from any ill-advised admiration of their eloquent madness, but from the ease with which my habits of rigid thought enabled me to detect their falsities. I have often been reproached with the aridity of my genius; a deficiency of imagination has been imputed to me as a crime; and the Pyrrhonism of my opinions has at all times rendered me notorious. Indeed, a strong relish for physical philosophy has, I fear, tinctured my mind with a very common error of this age – I mean the habit of referring occurrences, even the least susceptible of such reference, to the principles of that science. Upon the whole, no person could be less liable than myself to be led away from the severe precincts of truth by the *ignes fatui* of superstition. I have thought proper to premise thus much, lest the incredible tale I have to tell should be considered rather the raving of a crude imagination, than the positive experience of a mind to which the reveries of fancy have been a dead letter and a nullity.

After many years spent in foreign travel, I sailed
6 in the year 18 –, from the port of Batavia, in the
7 rich and populous island of Java, on a voyage to the

Das Manuskript in der Flasche

> Wer nur noch einen Augenblick zu leben hat,
> hat nichts mehr zu verbergen.
>
> Quinault, Atys

Von Heimatland und Familie habe ich wenig zu berichten. Schlechte Behandlung und der Lauf der Zeit haben mich aus dem einen vertrieben und der anderen entfremdet. Ererbter Reichtum gestattete mir eine Ausbildung von nicht gewöhnlicher Art, und ein Hang zur Nachdenklichkeit befähigte mich, die Vorräte, die ein frühes Studium sorgfältig angesammelt hatte, in eine systematische Ordnung zu bringen. Großes Vergnügen bereiteten mir die Arbeiten der deutschen Moralisten, mehr als alles andere; nicht weil ich, schlecht beraten, ihren beredten Wahnsinn bewundert hätte, sondern wegen der Leichtigkeit, mit der meine strenge Denkweise mich ihre Irrtümer entdecken ließ. Man hat mir oft die Trockenheit meines Verstandes zum Vorwurf gemacht; Mangel an Einbildungskraft ist mir als Verfehlung angelastet worden; und ich war stets bekannt für den hochgradigen Skeptizismus meiner Ansichten. In der Tat ist, so fürchte ich, aufgrund einer starken Vorliebe für naturwissenschaftliche Philosophie mein Geist von einem weitverbreiteten Irrglauben unserer Zeit durchdrungen – ich meine die Gewohnheit, alle Vorkommnisse auf die Grundsätze jener Wissenschaft zu beziehen, selbst die am wenigsten dazu geeigneten. Kurz, niemand dürfte weniger anfällig sein als ich, von der törichten Begeisterung des Aberglaubens aus den ernsthaften Gefilden der Wahrheit entführt zu werden. Ich halte es für angebracht, so viel vorauszuschicken, damit die unglaubliche Geschichte, die ich zu erzählen habe, nicht als das Wahngebilde einer unreifen Phantasie angesehen wird statt als nicht zu bezweifelnde Erfahrung eines Geistes, für den die Träumereien der Einbildungskraft tote Buchstaben und ein Nichts waren.

Nach vielen Jahren, die ich mit Reisen in fremde Länder zugebracht hatte, wollte ich im Jahre 18.. vom Hafen Batavia auf der reichen und dichtbesiedelten Insel Java zum Archipel

Archipelago of the Sunda islands. I went as passenger – having no other inducement than a kind of nervous restlessness which haunted me as a fiend.

Our vessel was a beautiful ship of about four hundred tons, copper-fastened, and built at Bombay of Malabar teak. She was freighted with cotton-wool and oil, from the Lachadive islands. We had also on board coir, jaggeree, ghee, cocoa-nuts, and a few cases of opium. The stowage was clumsily done, and the vessel consequently crank.

We got under way with a mere breath of wind, and for many days stood along the eastern coast of Java, without any other incident to beguile the monotony of our course than the occasional meeting with some of the small grabs of the Archipelago to which we were bound.

One evening, leaning over the taffrail, I observed a very singular, isolated cloud, to the N. W. It was remarkable, as well for its color, as from its being the first we had seen since our departure from Batavia. I watched it attentively until sunset, when it spread all at once to the eastward and westward, girting in the horizon with a narrow strip of vapor, and looking like a long line of low beach. My notice was soon afterwards attracted by the dusky-red appearance of the moon, and the peculiar character of the sea. The latter was undergoing a rapid change, and the water seemed more than usually transparent. Although I could distinctly see the bottom, yet, heaving the lead, I found the ship in fifteen fathoms. The air now became intolerably hot, and was loaded with spiral exhalations similar to those arising from heated iron. As night came on, every breath of wind died away, and a more entire calm it is impossible to conceive. The flame of a candle burned upon the poop without the least perceptible motion, and a long hair, held between the finger

der Sunda-Inseln segeln. Ich fuhr als Passagier – ohne einen anderen Beweggrund als den einer nervösen Unruhe, die mich wie ein böser Geist verfolgte.

Unser Fahrzeug war ein schönes Schiff von ungefähr vierhundert Tonnen mit Nieten und Schrauben aus Kupfer und in Bombay aus Malabar-Teakholz gebaut. Es war beladen mit Baumwolle und Öl von den Lakkadiven. Außerdem hatten wir Kokosfaserbast an Bord, Palmensaftzucker und Büffelmilchbutter, Kakaonüsse und ein paar Kisten Opium. Die Ladung war ungeschickt gestaut worden, und infolgedessen hatte das Fahrzeug Schlagseite.

Wir legten ab unter einem Wind, der nur ein Hauch war, und segelten viele Tage lang an der Ostküste Javas entlang, ohne daß irgendein anderes Ereignis die Eintönigkeit unseres Kurses unterbrochen hätte als gelegentliche Begegnungen mit den kleinen, zweimastigen Booten des Archipels, der unser Ziel war.

Eines Abends, als ich mich über die Heckreling gelehnt hatte, erblickte ich eine ganz eigenartige, einzeln stehende Wolke im Nordwesten. Sie war sowohl wegen ihrer Farbe bemerkenswert als auch deswegen, weil sie die erste war, die wir seit unserer Abreise aus Batavia sahen. Ich beobachtete sie angelegentlich bis zum Sonnenuntergang, als sie sich plötzlich nach Osten und Westen ausdehnte und den Horizont mit einem schmalen Dunststreifen umgürtete, der aussah wie ein langer, flacher Strand. Meine Aufmerksamkeit wurde bald danach von der düster roten Erscheinung des Mondes gefesselt und von der seltsamen Beschaffenheit der See. Letztere war in einer schnellen Veränderung begriffen, und das Wasser schien durchsichtiger zu sein als sonst. Obgleich ich den Meeresgrund klar erkennen konnte, merkte ich doch, als ich das Lot warf, daß das Schiff fünfzehn Faden Wasser unter dem Kiel hatte. Die Luft wurde nun unerträglich heiß und war erfüllt von spiralförmigen Dämpfen, ähnlich denjenigen, die von erhitztem Eisen aufsteigen. Als es Nacht wurde, erstarb jeder Windhauch, und eine tiefere Stille sich zu denken ist unmöglich. Die Flamme einer Kerze brannte auf dem Achterdeck, ohne daß die geringste Bewe-

and thumb, hung without the possibility of detecting a vibration. However, as the captain said he could perceive no indication of danger, and as we were drifting in bodily to shore, he ordered the sails to be furled, and the anchor let go. No watch was set, and the crew, consisting principally of Malays, stretched themselves deliberately upon deck. I went below – not without a full presentiment of evil. Indeed, every appearance warranted me in apprehending a simoon. I told the captain my fears; but he paid no attention to what I said, and left me without deigning to give a reply. My uneasiness, however, prevented me from sleeping, and about midnight I went upon deck.

As I placed my foot upon the upper step of the companion-ladder, I was startled by a loud, humming noise, like that occasioned by the rapid revolution of a mill-wheel, and before I could ascertain its meaning, I found the ship quivering to its centre. In the next instant, a wilderness of foam hurled us upon our beam-ends, and, rushing over us fore and aft, swept the entire decks from stem to stern.

The extreme fury of the blast proved, in a great measure, the salvation of the ship. Although completely water-logged, yet, as her masts had gone by the board, she rose, after a minute, heavily from the sea, and, staggering awhile beneath the immense pressure of the tempest, finally righted.

By what miracle I escaped destruction, it is impossible to say. Stunned by the shock of the water, I found myself, upon recovery, jammed in between the stern-post and rudder. With great difficulty I gained my feet, and looking dizzily around, was at first struck with the idea of our being among breakers;
10 so terrific, beyond the wildest imagination, was
11 the whirlpool of mountainous and foaming ocean

gung wahrzunehmen war, und ein langes Haar, mit den Fingern festgehalten, hing herab, ohne daß sich eine Schwingung entdecken ließ. Da jedoch der Kapitän sagte, daß er kein Anzeichen für eine Gefahr erkennen könne, und wir völlig zur Küste hin abgetrieben wurden, gab er Befehl, die Segel zu bergen und den Anker fallenzulassen. Es wurde keine Wache eingeteilt, und die Mannschaft, die hauptsächlich aus Malaien bestand, streckte sich ruhig an Deck aus. Ich ging nach unten – nicht ohne schlimmste Vorahnungen. In der Tat bestätigte mir jedes Anzeichen, daß ein Taifun zu erwarten war. Ich teilte dem Kapitän meine Befürchtungen mit; aber er schenkte meinen Worten keine Beachtung und ließ mich stehen, ohne sich zu einer Antwort herabzulassen. Mein Unbehagen hinderte mich jedoch am Schlafen, und um Mitternacht ging ich an Deck. Als ich den Fuß auf die oberste Stufe des Niedergangs setzte, ließ ein lautes, summendes Geräusch mich zusammenschrecken, ähnlich dem, welches von der schnellen Umdrehung eines Mühlrades hervorgerufen wird, und bevor ich seine Bedeutung herausfinden konnte, merkte ich, daß das Schiff bis ins Innerste erzitterte. Im nächsten Augenblick schleuderten schäumende Wassermassen uns auf die Seite, stürzten längsschiffs über uns her und peitschten über alle Decks vom Bug bis zum Heck.

Die ungeheure Wucht des Windstoßes erwies sich zum großen Teil als Rettung für das Schiff. Obgleich es völlig unter Wasser gedrückt worden war, kam es doch, weil die Masten über Bord gegangen waren, nach einer Minute schwerfällig wieder hoch, schwankte eine Weile unter dem gewaltigen Druck des Sturmes und richtete sich schließlich auf.

Durch welches Wunder ich der Vernichtung entging, läßt sich unmöglich sagen. Der Anprall des Wassers hatte mich betäubt, und als ich wieder zu mir kam, fand ich mich eingeklemmt zwischen Achtersteven und Ruder. Mit großer Mühe kam ich auf die Beine, und als ich benommen um mich blickte, drängte sich mir zunächst der Eindruck auf, wir befänden uns inmitten einer Brandung; so schrecklich, wie es sich die stärkste Einbildungskraft nicht vorstellen kann,

within which we were ingulfed. After a while, I heard the voice of an old Swede, who had shipped with us at the moment of our leaving port. I hallooed to him with all my strength, and presently he came reeling aft. We soon discovered that we were the sole survivors of the accident. All on deck, with the exception of ourselves, had been swept overboard; the captain and mates must have perished as they slept, for the cabins were deluged with water. Without assistance, we could expect to do little for the security of the ship, and our exertions were at first paralyzed by the momentary expectation of going down. Our cable had, of course, parted like pack-thread, at the first breath of the hurricane, or we should have been instantaneously overwhelmed. We scudded with frightful velocity before the sea, and the water made clear breaches over us. The frame-work of our stern was shattered excessively, and, in almost every respect, we had received considerable injury; but to our extreme joy we found the pumps unchoked, and that we had made no great shifting of our ballast.

The main fury of the blast had already blown over, and we apprehended little danger from the violence of the wind; but we looked forward to its total cessation with dismay; well believing, that, in our shattered condition, we should inevitably perish in the tremendous swell which would ensue. But this very just apprehension seemed by no means likely to be soon verified. For five entire days and nights – during which our only subsistence was a small quantity of jaggeree, procured with great difficulty from the forecastle – the hulk flew at a rate defying computation, before rapidly succeeding flaws of wind, which, without equalling the first violence of the simoon, were still more terrific than any tempest

war der Wirbel aus sich auftürmendem und schäumendem Ozean, der uns umschloß. Nach einer Weile hörte ich die Stimme eines alten Schweden, der an Bord gekommen war in dem Augenblick, als wir den Hafen verließen. Ich rief mit aller Kraft, und kurz darauf kam er nach achtern getaumelt. Wir entdeckten bald, daß wir die einzigen Überlebenden des Unglücks waren. Außer uns waren alle an Deck über Bord gefegt worden; der Kapitän und die Offiziere mußten im Schlaf umgekommen sein, denn die Kabinen waren überflutet. Ohne Hilfe war nicht zu hoffen, daß wir viel für die Sicherheit des Schiffes tun konnten, und unsere Anstrengungen wurden erst einmal gelähmt durch die Annahme, daß wir im nächsten Augenblick untergehen würden. Unser Ankertau war natürlich beim ersten Atemzug des Hurrikans wie Bindfaden gerissen, sonst wären wir auf der Stelle von den Wassermassen begraben worden. Wir liefen mit entsetzlicher Geschwindigkeit vor den Wogen her und wurden vollständig von Brechern überspült. Das Balkenwerk des Achterstevens war weitgehend zerschmettert worden, und wir hatten in fast jeder Hinsicht erhebliche Beschädigungen erlitten; aber zu unserer großen Freude stellten wir fest, daß die Pumpen nicht verstopft waren und daß unser Ballast sich nicht sehr stark verschoben hatte. Die größte Wut des Sturmes hatte sich bereits gelegt, und wir erwarteten uns keine große Gefahr von der Gewalt des Windes; hingegen sahen wir einer völligen Windstille mit Schrecken entgegen, denn wir waren überzeugt, daß wir in unserem beschädigten Zustand unweigerlich in der sich anschließenden gewaltigen Dünung zugrunde gehen würden. Doch sah es durchaus nicht wahrscheinlich aus, daß sich diese nur zu begründete Befürchtung bald bewahrheiten würde. Fünf ganze Tage und Nächte lang – während derer unsere Versorgung nur aus einer kleinen Menge Palmensaftzuckers bestand, die wir uns mit großer Mühe aus dem Vorschiff besorgt hatten – flog der entmastete Rumpf mit einer Geschwindigkeit, die jeder Berechnung spottete, vor rasch aufeinander folgenden Windstößen dahin, die zwar an die erste Gewalt des Taifuns nicht heranreichten, aber immer noch furchtbarer waren als jeder

I had before encountered. Our course for the first four days was, with trifling variations, S. E. and by S.; and we must have run down the coast of New Holland.

On the fifth day the cold became extreme, although the wind had hauled round a point more to the northward. The sun arose with a sickly yellow lustre, and clambered a very few degrees above the horizon – emitting no decisive light. There were no clouds apparent, yet the wind was upon the increase, and blew with a fitful and unsteady fury. About noon, as nearly as we could guess, our attention was again arrested by the appearance of the sun. It gave out no light, properly so called, but a dull and sullen glow without reflection, as if all its rays were polarized. Just before sinking whithin the turgid sea, its central fires suddenly went out, as if hurriedly extinguished by some unaccountable power. It was a dim, silver-like rim, alone, as it rushed down the unfathomable ocean.

We waited in vain for the arrival of the sixth day – that day to me has not arrived – to the Swede, never did arrive. Thenceforward we were enshrouded in pitchy darkness, so that we could not have seen an object at twenty paces from the ship. Eternal night continued to envelop us, all unrelieved by the phosphoric sea-brilliancy to which we had been accustomed in the tropics. We observed too, that, although the tempest continued to rage with unabated violence, there was no longer to be discovered the usual appearance of surf, or foam, which had hitherto attended us. All around were horror, and thick gloom, and a black sweltering desert of ebony. Superstitious terror crept by degrees into the spirit of the old Swede,
14 and my own soul was wrapped up in silent won-
15 der. We neglected all care of the ship, as worse

Sturm, den ich bis dahin erlebt hatte. Die ersten vier Tage liefen wir mit geringen Abweichungen einen südöstlichen und fast südlichen Kurs und müssen die Küste Neuhollands entlanggetrieben sein.

Am fünften Tag wurde es außerordentlich kalt, obgleich der Wind ein wenig nach Norden gedreht hatte. Die Sonne ging mit einem fahl-gelben Schein auf und arbeitete sich einige wenige Grade über den Horizont empor, strahlte aber nur ein unbestimmtes Licht aus. Es waren keine Wolken zu sehen, doch der Wind nahm zu und wehte mit unberechenbarer und unregelmäßiger Wut. Unserer Vermutung nach war es etwa um die Mittagszeit, als unsere Aufmerksamkeit wiederum vom Anblick der Sonne gefesselt wurde. Sie gab kein Licht von sich, das man mit Recht als solches hätte bezeichnen können, sondern ein mattes, düsteres Glühen ohne Widerschein, so als ob alle Strahlen polarisiert wären. Kurz bevor sie in die hochgehende See sank, ging das Feuer in ihrem Inneren plötzlich aus, als ob eine geheimnisvolle Macht es hastig ausgelöscht hätte. Man sah einzig einen blassen, silberartigen Rand, als sie in den unergründlichen Ozean hinabstürzte.

Wir warteten vergeblich auf den Anbruch des sechsten Tages – für mich ist jener Tag noch immer nicht angebrochen – für den Schweden sollte er nie anbrechen. Von da an waren wir eingehüllt in pechschwarzes Dunkel, so daß wir keinen Gegenstand in zwanzig Schritt Entfernung vom Schiff gesehen hätten. Fortwährend umgab uns ewige Nacht, nicht einmal gemildert durch das phosphoreszierende Meeresleuchten, das wir in den Tropen gewohnt gewesen waren. Wir bemerkten außerdem, daß – obwohl der Sturm weiterhin mit unverminderter Gewalt tobte – nicht länger das übliche Auftreten von Gischt oder Schaum zu beobachten war, das uns bis dahin begleitet hatte. Wir waren umringt von Schrecken und tiefer Dunkelheit und einer schwarzen, wogenden Wüste aus Ebenholz. Abergläubisches Entsetzen bemächtigte sich nach und nach des alten Schweden, und meine eigene Seele war eingehüllt in schweigendes Staunen. Wir unterließen es völlig, uns um das Schiff zu kümmern,

than useless, and securing ourselves, as well as possible, to the stump of the mizen-mast, looked out bitterly into the world of ocean. We had no means of calculating time, nor could we form any guess of our situation. We were, however, well aware of having made farther to the southward than any previous navigators, and felt great amazement at not meeting with the usual impediments of ice. In the meantime every moment threatened to be our last – every mountainous billow hurried to overwhelm us. The swell surpassed anything I had imagined possible, and that we were not instantly buried is a miracle. My companion spoke of the lightness of our cargo, and reminded me of the excellent qualities of our ship: but I could not help feeling the utter hopelessness of hope itself, and prepared myself gloomily for that death which I thought nothing could defer beyond an hour, as, with every knot of way the ship made, the swelling of the black stupendous seas became more dismally appalling. At times we gasped for breath at an elevation beyond the albatross – at times became dizzy with the velocity of our descent into some watery hell, where the air grew stagnant, and no sound disturbed the slumbers of the kraken.

We were at the bottom of one of these abysses, when a quick scream from my companion broke fearfully upon the nigth. "See! see!" cried he, shrieking in my ears, "Almighty God! see! see!" As he spoke, I became aware of a dull, sullen glare of red light which streamed down the sides of the vast chasm where we lay, and threw a fitful brilliancy upon our deck. Casting my eyes upwards, I beheld a spectacle which froze the current of my blood. At a terrific height directly above us, and
16 upon the very verge of the precipitious descent,
17 hovered a gigantic ship, of perhaps four thousand

weil es mehr als nutzlos gewesen wäre, sicherten uns, so gut es ging, am Stumpf des Besan-Mastes und sahen voll Bitterkeit hinaus in die Welt aus Ozean. Wir hatten kein Mittel, um die Zeit zu bestimmen, noch konnten wir auch nur vermuten, wo wir uns befanden. Doch waren wir uns wohl bewußt, weiter nach Süden vorgedrungen zu sein als alle Seeleute vor uns, und waren sehr verwundert, daß wir nicht den üblichen Hindernissen aus Eis begegneten.

In der Zwischenzeit drohte jeder Augenblick, unser letzter zu sein – jede turmhohe Welle drängte sich, uns zu überwältigen. Der Seegang übertraf alles, was ich für möglich gehalten hatte, und daß wir nicht sofort begraben wurden, ist ein Wunder. Mein Gefährte sprach von dem geringen Gewicht unserer Ladung und erinnerte mich an die hervorragenden Eigenschaften unseres Schiffes; aber ich konnte trotzdem nur die äußerste Hoffnungslosigkeit jeglicher Hoffnung empfinden und bereitete mich düster auf den Tod vor, von dem ich meinte, daß nichts ihn länger als eine Stunde aufhalten konnte, da mit jeder Seemeile, die das Schiff zurücklegte, das Wogen der schwarzen, ungeheuren Seen unheilvoller und entsetzlicher wurde. Einmal rangen wir nach Atem in einer Höhe, die den Albatros unter sich ließ – dann wieder machte uns die Geschwindigkeit benommen, mit der wir hinabstürzten in eine Wasserhölle, wo die Luft stillstand und kein Laut den Schlummer des Kraken störte.

Wir befanden uns tief unten in einem dieser Abgründe, als ein hastiger Schrei meines Gefährten angstvoll die Nacht durchbrach: «Sieh doch! Sieh doch!» rief er mir gellend ins Ohr, «Allmächtiger Gott! Sieh doch! Sieh doch!» Während er sprach, bemerkte ich einen düsteren, dunkelroten Glanz, der die Seiten der ungeheuren Schlucht hinabströmte, in der wir lagen, und einen ungleichmäßigen Schimmer auf unser Deck warf. Als ich meinen Blick nach oben wandte, gewahrte ich eine Erscheinung, die mir das Blut in den Adern gefrieren ließ. In einer entsetzlichen Höhe direkt über uns und unmittelbar am Rande des steilen Abhangs schwebte ein riesiges Schiff von vielleicht viertausend Tonnen. Obwohl es

tons. Although upreared upon the summit of a wave more than a hundred times her own altitude, her apparent size still exceeded that of any ship of the line or East Indiaman in existence. Her huge hull was of a deep dingy black, unrelieved by any of the customary carvings of a ship. A single row of brass cannon protruded from her open ports, and dashed from their polished surfaces the fires of innumerable battle-lanterns, which swung to and fro about her rigging. But what mainly inspired us with horror and astonishment, was that she bore up under a press of sail in the very teeth of that supernatural sea, and of that ungovernable hurricane. When we first discovered her, her bows were alone to be seen, as she rose slowly from the dim and horrible gulf beyond her. For a moment of intense terror she paused upon the giddy pinnacle, as if in contemplation of her own sublimity, then trembled and tottered, and – came down.

At this moment, I know not what sudden self-possession came over my spirit. Staggering as far aft as I could, I awaited fearlessly the ruin that was to overwhelm. Our own vessel was at length ceasing from her struggles, and sinking with her head to the sea. The shock of the descending mass struck her, consequently, in that portion of her frame which was already under water, and the inevitable result was to hurl me, with irresistible violence, upon the rigging of the stranger.

As I fell, the ship hove in stays, and went about; and to the confusion ensuing I attributed my escape from the notice of the crew. With little difficulty I made my way, unperceived, to the main hatchway, which was partially open, and soon found an opportunity of secreting myself in the hold. Why
18 I did so I can heardly tell. An indefinite sense
19 of awe, which at first sight of the navigators of the

aufgerichtet auf dem Kamm einer Woge schwamm, die mehr als hundertmal so hoch war wie es selbst, übertraf seine augenscheinliche Größe dennoch die eines jeden Kriegsschiffes oder Ostindienfahrers, die es gab. Sein gewaltiger Rumpf war von einer schmutzig-tiefschwarzen Farbe und von keiner der an einem Schiff üblichen Schnitzereien unterbrochen. Eine einzelne Reihe von Messingkanonen ragte aus den offenen Luken hervor, und von deren polierter Oberfläche blitzte das Feuer unzähliger Gefechtslaternen, die in der Takelage hin und her schwangen. Aber was uns am meisten mit Schrecken und Verwunderung erfüllte, war, daß das Schiff sich emporhob unter dem Druck sämtlicher Segel – angesichts dieses übernatürlichen Seegangs und des unbändig tobenden Hurrikans. Als wir es zuerst entdeckten, konnten wir nur seinen Bug sehen, während es langsam aus der dunklen, furchtbaren Schlucht dahinter heraufstieg. Einen Augenblick höchsten Entsetzens lang hielt es auf seiner schwindelerregenden Höhe inne, wie in Betrachtung seiner eigenen Erhabenheit, dann zitterte und schwankte es – und stürzte herab.

Ich weiß nicht, welch plötzliche Gefaßtheit meinen Geist in diesem Augenblick überkam. Ich taumelte so weit nach achtern, wie ich konnte, und wartete furchtlos auf die Zerstörung, die uns überwältigen würde. Unser eigenes Fahrzeug gab den Kampf endlich auf und sank mit dem Bug ins Wasser. Der Anprall der herabschießenden Masse traf es deshalb an dem Teil des Rumpfes, der bereits unter Wasser war, mit der unausweichlichen Folge, daß ich mit unwiderstehlicher Gewalt in die Takelage des fremden Schiffes geschleudert wurde.

Als ich hinunterfiel, drehte das Schiff durch den Wind und änderte seinen Kurs, und dem anschließenden Durcheinander schrieb ich es zu, daß ich der Aufmerksamkeit der Mannschaft entging. Mit geringer Mühe drang ich unentdeckt zur Hauptluke vor, die zum Teil offen war, und fand bald eine Gelegenheit, mich im Laderaum zu verbergen. Warum ich das tat, weiß ich kaum zu sagen. Ein undeutliches Gefühl des Grauens, das mich beim ersten Anblick der

ship had taken hold of my mind, was perhaps the principle of my concealment. I was unwilling to trust myself with a race of people who had offered, to the cursory glance I had taken, so many points of vague novelty, doubt, and apprehension. I therefore thought proper to contrive a hiding-place in the hold. This I did by removing a small portion of the shifting-boards, in such a manner as to afford me a convenient retreat between the huge timbers of the ship.

I had scarcely completed my work, when a footstep in the hold forced me to make use of it. A man passed by my place of concealment with a feeble and unsteady gait. I could not see his face, but had an opportunity of observing his general appearance. There was about it an evidence of great age and infirmity. His knees tottered beneath a load of years, and his entire frame quivered under the burthen. He muttered to himself in a low broken tone, some words of a language which I could not understand, and groped in a corner among a pile of singular-looking instruments, and decayed charts of navigation. His manner was a wild mixture of the peevishness of second childhood and the solemn dignity of a God. He at length went on deck, and I saw him no more.

A feeling, for which I have no name, has taken possession of my soul – a sensation which will admit of no analysis, to which the lessons of by-gone time are inadequate, and for which I fear futurity itself will offer me no key.

To a mind constituted like my own, the latter consideration is an evil. I shall never – I know that I shall never – be satisfied with regard to the nature of my conceptions. Yet it is not wonderful that these conceptions are indefinite, since they have their origin in sources

Besatzung des Schiffes ergriffen hatte, mag der Grund dafür gewesen sein, daß ich mich versteckte. Ich wollte mich nicht einem Menschenschlag anvertrauen, der mir auf meinen flüchtigen Blick hin in vielerlei Hinsicht einen irgendwie seltsamen Eindruck, Bedenken und Angst gemacht hatte. Deshalb hielt ich es für angebracht, mir ein Versteck im Laderaum einzurichten. Das tat ich, indem ich einen kleinen Teil der Schlingerschotten dergestalt entfernte, daß sich mir ein bequemer Schlupfwinkel zwischen den gewaltigen Balken des Schiffes bot.

Ich hatte meine Arbeit kaum beendet, als Schritte im Laderaum mich nötigten, mein Versteck in Anspruch zu nehmen. Ein Mann ging mit schwachen, unsicheren Tritten daran vorbei. Ich konnte sein Gesicht nicht sehen, hatte aber Gelegenheit, seine allgemeine Erscheinung zu beobachten. Sie legte Zeugnis ab von hohem Alter und Gebrechlichkeit. Seine Knie wankten unter der Last der Jahre, und diese Bürde ließ seine ganze Gestalt zittern. Er murmelte mit leiser, gebrochener Stimme einige Worte in einer Sprache vor sich hin, die ich nicht verstand, und tastete suchend zwischen eigentümlich aussehenden Instrumenten und verblichenen Seekarten umher, die in einer Ecke aufgehäuft waren. Sein Benehmen war eine befremdliche Mischung aus der Verdrießlichkeit der zweiten Kindheit und der feierlichen Würde eines Gottes. Schließlich ging er an Deck, und ich sah ihn nicht mehr.

Eine Empfindung, für die ich keinen Namen habe, hat Besitz ergriffen von meiner Seele – ein Gefühl, das sich nicht zergliedern läßt, auf welches die Lehren einer vergangenen Zeit nicht anzuwenden sind und für das, so fürchte ich, mir nicht einmal die Zukunft einen Schlüssel anbieten wird. Für einen Geist von der Beschaffenheit des meinen ist letztere Überlegung ein Übel. Ich werde nie – ich weiß, daß es nie der Fall sein wird – zufriedengestellt sein hinsichtlich der Natur meiner Eindrücke. Doch es ist nicht verwunderlich, daß diese Eindrücke nicht näher zu bestimmen sind, weil sie ja ihren Ursprung in Quellen haben, die so völlig unvertraut

so utterly novel. A new sense – a new entity is added to my soul.

It is long since I first trod the deck of this terrible ship, and the rays of my destiny are, I think, gathering to a focus. Incomprehensible men! Wrapped up in meditations of a kind which I cannot divine, they pass me by unnoticed. Concealment is utter folly on my part, for the people *will not see.* It was but just now that I passed directly before the eyes of the mate; it was no long while ago that I ventured into the captain's own private cabin, and took thence the materials with which I write, and have written. I shall from time to time continue this journal. It is true that I may not find an opportunity of transmitting it to the world, but I will not fail to make the endeavor. At the last moment I will enclose the MS. in a bottle, and cast it within the sea.

An incident has occurred which has given me new room for meditation. Are such things the operation of ungoverned chance? I had ventured upon deck and thrown myself down, without attracting any notice, among a pile of ratlin-stuff and old sails, in the bottom of the yawl. While musing upon the singularity of my fate, I unwittingly daubed with a tar-brush the edges of a neatly-folded studding-sail which lay near me on a barrel. The studding-sail is now bent upon the ship, and the thoughtless touches of the brush are spread out into the word DISCOVERY.

I have made many observations lately upon the structure of the vessel. Although well armed, she is not, I think, a ship of war. Her rigging, build, and general equipment, all negative a supposition of this kind. What she *is not,* I can easily perceive;

sind. Ein neuer Sinn – eine neue Wirklichkeit wird meiner Seele hinzugefügt.

Es ist lange her, daß ich zum ersten Mal das Deck dieses entsetzlichen Schiffes betrat, und ich glaube, die Strahlen meines Schicksals sammeln sich jetzt in einem Brennpunkt. Unbegreifliche Männer! Eingesponnen in Gedanken, deren Wesen ich nicht erahne, gehen sie an mir vorüber, ohne mich zu bemerken. Es ist reine Narrheit von mir, mich zu verbergen, denn diese Menschen sehen einfach nicht! Eben ging ich am Ersten Offizier vorbei, direkt vor seinen Augen. Vor nicht langer Zeit wagte ich mich in die Kabine des Kapitäns und nahm von dort die Gerätschaften mit, mit denen ich schreibe und schon geschrieben habe. Ich werde dieses Tagebuch von Zeit zu Zeit fortsetzen. Es ist wahr, daß ich vielleicht keine Gelegenheit finden werde, es der Welt zu übermitteln, aber ich will nicht versäumen, den Versuch zu machen. Im letzten Augenblick werde ich das Manuskript in eine Flasche stecken und ins Wasser werfen.

Ein Vorfall hat sich ereignet, der meinen Gedanken neuen Raum gegeben hat. Sind solche Dinge das Werk eines ungesteuerten Zufalls? Ich hatte mich an Deck gewagt und mich, ohne irgendeine Beachtung zu finden, zwischen einem Haufen Webeleinen und alter Segel im Beiboot zu Boden fallen lassen. Während ich über die Einzigartigkeit meines Schicksals nachdachte, beschmierte ich unwissentlich mit einem Teer-Pinsel die Kanten eines säuberlich gefalteten Leesegels, das nahe bei mir auf einem Faß lag. Das Leesegel wölbt sich nun über dem Schiff, und die gedankenlosen Berührungen des Pinsels ergeben ausgebreitet das Wort «Entdeckung».

Ich habe in letzter Zeit viele Beobachtungen zur Bauart des Schiffes gemacht. Obgleich es über gute Waffen verfügt, glaube ich nicht, daß es ein Kriegsschiff ist. Takelung, Form und allgemeine Ausstattung sprechen gegen eine solche Annahme. Was es *nicht ist*, kann ich leicht erkennen; was es

what she *is*, I fear it is impossible to say. I know not how it is, but in scrutinizing her strange model and singular cast of spars, her huge size and overgrown suits of canvass, her severely simple bow and antiquated stern, there will occasionally flash across my mind a sensation of familiar things, and there is always mixed up with such indistinct shadows of recollection, an unaccountable memory of old foreign chronicles and ages long ago.

I have been looking at the timbers of the ship. She is built of a material to which I am a stranger. There is a peculiar character about the wood which strikes me as rendering it unfit for the purpose to which it has been applied. I mean its extreme *porousness*, considered independently of the worm-eaten condition which is a consequence of navigation in these seas, and apart from the rottenness attendant upon age. It will appear perhaps an observation somewhat over-curious, but this wood would have every characteristic of Spanish oak, if Spanish oak were distended by any unnatural means.

In reading the above sentence, a curious apothegm of an old weather-beaten Dutch navigator comes full upon my recollection. "It is as sure," he was wont to say, when any doubt was entertained of his veracity, "as sure as there is a sea where the ship itself will grow in bulk like the living body of the seaman."

About an hour ago, I made bold to thrust myself among a group of the crew. They paid me no manner of attention, and, although I stood in the very midst of them all, seemed utterly unconscious of my presence. Like the one I had at first seen in the hold, they all bore about them the marks of a hoary old age. Their knees trembled with infirmity; their shoulders were bent double with decrepitude;

ist, fürchte ich, ist unmöglich zu sagen. Ich weiß nicht, wie es kommt, aber wenn ich die eigenartige Konstruktion des Schiffes erforsche und die seltsame Form der Masten, seine gewaltige Größe und das Übermaß an Besegelung, den äußerst schlichten Bug und das altertümliche Heck, dann durchzuckt mich gelegentlich das Gefühl, etwas Wohlbekanntes zu sehen; mit diesen undeutlichen Spuren im Gedächtnis verbindet sich immer die geheimnisvolle Erinnerung an alte Chroniken fremder Länder und an längst vergangene Zeiten.

Ich habe mir das Spantenwerk des Schiffes angeschaut. Es ist aus einem Material gebaut, das mir unbekannt ist. Das Holz hat eine eigentümliche Beschaffenheit, die es meines Erachtens ungeeignet für den Zweck macht, für den es verwendet wurde. Ich meine seine extreme Durchlässigkeit, unabhängig von seinem wurmzerfressenen Zustand, den das Segeln in diesen Gewässern zur Folge hat, und nicht gerechnet die Morschheit, die eine Begleiterscheinung des Alters ist. Man wird das vielleicht für eine etwas übertrieben genaue Beobachtung halten, aber dieses Holz hätte jedes Merkmal spanischer Eiche, wenn spanische Eiche durch irgendeine unnatürliche Methode gedehnt würde.

Während ich den obigen Satz lese, fällt mir der Sinnspruch eines alten, wettergegerbten, holländischen Seemannes ein. «Das ist ebenso wahr», pflegte er zu sagen, wenn irgend ein Zweifel an seiner Aufrichtigkeit genährt wurde, «ebenso wahr, wie daß es eine See gibt, in der auch das Schiff an Umfang zunimmt, ebenso wie der lebendige Körper des Seemannes.»

Vor etwa einer Stunde faßte ich den Mut, mich in eine Gruppe der Mannschaft zu drängen. Sie beachteten mich in keiner Weise, und obwohl ich genau in ihrer Mitte stand, schienen sie sich meiner Gegenwart überhaupt nicht bewußt zu sein.

Wie der eine, den ich zuerst im Laderaum gesehen hatte, trugen sie alle die Merkmale ehrwürdigen Alters. Gebrechlichkeit ließ ihre Knie beben; Hinfälligkeit hatte ihre

their shrivelled skins rattled in the wind; their voices were low, tremulous, and broken; their eyes glistened with the rheum of years; and their gray hairs streamed terribly in the tempest. Around them, on every part of the deck, lay scattered mathematical instruments of the most quaint and obsolete construction.

I mentioned, some time ago, the bending of a studding-sail. From that period, the ship, being thrown dead off the wind, has continued her terrific course due south, with every rag of canvass packed upon her, from her trucks to her lower studding-sail booms, and rolling every moment her top-gallant yard-arm into the most appalling hell of water which it can enter into the mind of man to imagine. I have just left the deck, where I find it impossible to maintain a footing, although the crew seem to experience little inconvenience. It appears to me a miracle of miracles that our enormous bulk is not swallowed up at once and for ever. We are surely doomed to hover continually upon the brink of eternity, without taking a final plunge into the abyss. From billows a thousand times more stupendous than any I have ever seen, we glide away with the facility of the arrowy sea-gull; and the colossal waters rear their heads above us like demons of the deep, but like demons confined to simple threats, and forbidden to destroy. I am led to attribute these frequent escapes to the only natural cause which can account for such effect. I must suppose the ship to be within the influence of some strong current, or impetuous under-tow.

I have seen the captain face to face, and in his own cabin – but, as I expected, he paid me no attention.
26 Although in his appearance there is, to a casual
27 observer, nothing which might bespeak him more

Schultern tief gebeugt; ihre eingetrocknete Haut flatterte im Wind; ihre Stimmen waren leise, zittrig und gebrochen; der Tränenfluß der hohen Jahre ließ ihre Augen glänzen; und ihre grauen Haare flogen furchtbar im Sturm. Um die Männer herum lagen überall an Deck verstreut mathematische Instrumente von höchst sonderbarer und veralteter Machart.

Ich habe vor einiger Zeit die Wölbung eines Leesegels erwähnt. Seitdem folgt das Schiff, völlig vom Wind abgewendet, seinem schrecklichen Kurs südwärts; jeder Fetzen Leinwand ist gesetzt, vom Flaggenknopf bis zu den unteren Leesegel-Bäumen, und das Schiff rollt derart, daß jeden Augenblick die Bramrah-Nocken in die entsetzlichste Wasserhölle tauchen, die sich ein Mensch vorzustellen vermag. Ich habe gerade das Deck verlassen, wo es mir nicht mehr möglich ist, einen Halt zu finden, wohingegen die Mannschaft sich kaum beeinträchtigt zu fühlen scheint. Mir kommt es wie das Wunder aller Wunder vor, daß unsere gewaltige Masse nicht ein für allemal verschlungen wird. Wir sind gewiß dazu verdammt, immerzu am Rande der Ewigkeit zu schweben, ohne endgültig in den Abgrund zu stürzen. Von Wellen, die tausendmal gewaltiger sind als alle, die ich jemals gesehen habe, gleiten wir dahin mit der Leichtigkeit der pfeilschnellen Seemöwe; und die ungeheuren Wassermassen heben ihre Köpfe hoch über uns empor wie Dämonen der Tiefe, aber wie Dämonen, die sich auf einfache Drohungen beschränken müssen – denen das Zerstören verboten ist. Ich bin geneigt, dieses fortgesetzte Entkommen der einzigen natürlichen Ursache zuzuschreiben, die eine solche Wirkung erklären könnte: Ich muß annehmen, daß das Schiff unter dem Einfluß einer starken Strömung oder eines heftigen Soges steht.

Ich habe den Kapitän von Angesicht zu Angesicht gesehen, und sogar in seiner eigenen Kabine – aber wie ich erwartet hatte, beachtete er mich nicht. Obgleich sich für einen zufälligen Betrachter in seiner Erscheinung nichts findet, was

or less than man, still, a feeling of irrepressible reverence and awe mingled with the sensation of wonder with which I regarded him. In stature he is nearly my own height; that is, about five feet eight inches. He is of a well-knit and compact frame of body, neither robust nor remarkable otherwise. But it is the singularity of the expression which reigns upon the face – it is the intense, the wonderful, the thrilling evidence of olde age, so utter, so extreme, which excites within my spirit a sense – a sentiment ineffable. His forehead, although little wrinkled, seems to bear upon it the stamp of a myriad of years. His gray hairs are records of the past, and his grayer eyes are sybils of the future. The cabin floor was thickly strewn with strange, iron-clasped folios, and mouldering instruments of science, and obsolete long-forgotten charts. His head was bowed down upon his hands, and he pored, with a fiery, unquiet cyc, over a paper which I took to be a commission, and which, at all events, bore the signature of a monarch. He muttered to himself – as did the first seaman whom I saw in the hold – some low peevish syllables of a foreign tongue; and although the speaker was close at my elbow, his voice seemed to reach my ears from the distance of a mile.

The ship and all in it are imbued with the spirit of Eld. The crew glide to and fro like the ghosts of buried centuries; their eyes have an eager and uneasy meaning; and when their figures fall athwart my path in the wild glare of the battle-lanterns, I feel as I have never felt before, although I have been all my life a dealer in antiquities, and have imbibed the shadows of fallen columns at Balbec, and Tadmor, and Persepolis, until my very soul has become a ruin.

ihn als etwas Höheres oder Geringeres als einen Menschen ausweist, mischte sich doch ein nicht zu unterdrückendes Gefühl der Ehrfurcht und des Grauens in das Erstaunen, mit dem ich ihn betrachtete. Von Wuchs ist er fast so groß wie ich, das heißt, ungefähr fünf Fuß und acht Inches. Seine Gestalt ist gut gebaut und kompakt, weder derb noch sonst irgendwie auffällig. Doch die Einzigartigkeit des Ausdrucks, der in seinem Gesicht liegt, – die eindringlichen, wunderbaren, aufregenden Anzeichen des Alters in vollkommenster, höchster Form – sie sind es, die in meiner Seele eine unauslöschliche Empfindung – ein unauslöschliches Gefühl hervorrufen. Seine Stirn, obwohl nur wenig gefurcht, scheint das Siegel von einer Myriade von Jahren zu tragen. Seine grauen Haare sind Zeugen der Vergangenheit, und seine noch graueren Augen sind Sibyllen der Zukunft. Der Kabinenboden war dicht bedeckt mit seltsamen, eisenbeschlagenen Folianten, zerfallenden naturwissenschaftlichen Instrumenten und veralteten, längst vergessenen Seekarten. Sein Kopf war über die Hände gebeugt, und mit brennenden, unruhigen Blicken starrte er auf ein Papier, das ich für eine Urkunde hielt und das jedenfalls die Unterschrift eines Monarchen trug. Wie der erste Seemann, den ich im Laderaum sah, murmelte er leise und verdrießlich einige Silben in einer fremden Sprache vor sich hin; und obwohl der Sprechende dicht an meinem Ellbogen saß, schien seine Stimme aus meilenweiter Entfernung an mein Ohr zu dringen.

Das Schiff und alle an Bord atmen den Geist vergangener Zeiten. Die Mitglieder der Mannschaft gleiten hin und her wie Geister begrabener Jahrhunderte; ihre Augen haben einen ungeduldigen und ruhelosen Ausdruck; und wenn ihre Gestalten im wilden Glanz der Gefechtslaternen meinen Pfad kreuzen, habe ich ein Gefühl, wie ich es nie zuvor gehabt habe, obgleich ich mein Leben lang mit Antiquitäten gehandelt und mir die Schatten zerfallener Säulen in Balbec, Tadmor und Persepolis zu eigen gemacht habe, bis meine Seele selbst eine Ruine geworden ist.

When I look around me, I feel ashamed of my former apprehensions. If I trembled at the blast which has hitherto attended us, shall I not stand aghast at a warring of wind and ocean, to convey any idea of which, the words tornado and simoon are trivial and ineffective? All in the immediate vicinity of the ship is the blackness of eternal night, and a chaos of foamless water; but, about a league on either side of us, may be seen, indistinctly and at intervals, stupendous ramparts of ice, towering away into the desolate sky, and looking like the walls of the universe.

As I imagined, the ship proves to be in a current – if that appellation can properly be given to a tide which, howling and shrieking by the white ice, thunders on to the southward with a velocity like the headlong lashing of a cataract.

To conceive the horror of my sensations is, I presume, utterly impossible; yet a curiosity to penetrate the mysteries of these awful regions, predominates even over my despair, and will reconcile me to the most hideous aspect of death. It is evident that we are hurrying onwards to some exciting knowledge – some never-to-be-imparted secret, whose attainment is destruction. Perhaps this current leads us to the southern pole itself. It must be confessed that a supposition apparently so wild has every probability in its favour.

The crew pace the deck with unquiet and tremulous step; but there is upon their countenance an expression more of the eagerness of hope than of the apathy of despair.

In the meantime the wind is still in our poop,
30 and, as we carry a crowd of canvass, the ship is at
31 times lifted bodily from out the sea! Oh, horror

Wann immer ich umherblicke, schäme ich mich meiner früheren Ängste. Wenn ich vor dem Sturm zitterte, der uns bisher begleitete, sollte ich dann nicht entsetzt vor einem Aufruhr von Wind und Wellen stehen, von dem die nichtssagenden und unzulänglichen Worte Tornado und Taifun keinerlei Anschauung vermitteln können? In der ganzen unmittelbaren Umgebung des Schiffes herrscht die Schwärze ewiger Nacht und ein Chaos schaumlosen Wassers; aber in einer Entfernung von etwa einer Meile kann man undeutlich und mit Unterbrechungen zu beiden Seiten ungeheure Wälle aus Eis sehen, die sich in den trostlosen Himmel hinauftürmen und aussehen wie die Wände des Universums.

Wie ich vermutet hatte, befindet sich das Schiff tatsächlich in einer Strömung – wenn diese Bezeichnung zu einer Wasserbewegung paßt, die heulend und kreischend am weißen Eis vorbei nach Süden donnert – mit einer Geschwindigkeit, die dem sich überschlagenden Sturz eines Wasserfalls gleicht.

Sich mein Entsetzen vorzustellen ist, glaube ich, vollkommen unmöglich; doch meine Neugier, die Geheimnisse dieser grauenvollen Regionen zu ergründen, ist stärker als selbst meine Verzweiflung und wird mich mit der gräßlichsten Erscheinung des Todes versöhnen. Es ist offenkundig, daß wir irgendeiner aufregenden Erkenntnis entgegeneilen – einem Geheimnis, das niemals enthüllt werden darf und dessen Kenntnis Vernichtung bedeutet. Vielleicht führt uns diese Strömung zum Südpol selbst. Es muß zugegeben werden, daß alles für diese scheinbar so phantastische Annahme spricht.

Die Mannschaft geht mit unruhigen und zitternden Schritten an Deck auf und ab; aber auf ihren Gesichtern liegt eher ein Ausdruck ungeduldiger Hoffnung als gleichgültiger Verzweiflung.

Währenddessen weht der Wind unausgesetzt von achtern, und da wir eine Fülle von Segeln tragen, wird das Schiff von Zeit zu Zeit mit dem ganzen Rumpf aus dem

upon horror! – the ice opens suddenly to the right, and to the left, and we are whirling dizzily, in immense concentric circles, round and round the borders of a gigantic amphitheatre, the summit of whose walls is lost in the darkness and the distance. But little time will be left me to ponder upon my destiny! The circles rapidly grow small – we are plunging madly within the grasp of the whirlpool – and amid a roaring, and bellowing, and thundering of ocean and of tempest, the ship is quivering – oh God! and – going down!

Wasser gehoben! O Entsetzen über Entsetzen! – Das Eis öffnet sich plötzlich zur Rechten und zur Linken, und wir wirbeln in schwindelerregenden, ungeheuren konzentrischen Kreisen immerzu rundherum am Rande eines riesenhaften Amphitheaters, dessen Wände sich nach oben hin in Finsternis und Ferne verlieren. Aber es wird mir wenig Zeit bleiben, über mein Schicksal nachzudenken! Die Kreise werden rasch immer kleiner – wir stampfen wild in der Gewalt des Strudels – und im Brüllen und Heulen und Donnern des Wassers und des Sturmes erzittert das Schiff – o Gott! – und sinkt!

A Tale of the Ragged Mountains

During the fall of the year 1827, while residing near Charlottesville, Virginia, I casually made the acquaintance of Mr Augustus Bedloe. This young gentleman was remarkable in every respect, and excited in me a profound interest and curiosity. I found it impossible to comprehend him either in his moral or his physical relations. Of his family I could obtain no satisfactory account. Whence he came, I never ascertained. Even about his age – although I call him a young gentleman – there was something which perplexed me in no little degree. He certainly *seemed* young – and he made a point of speaking about his youth – yet there were moments when I should have had little trouble in imagining him a hundred years of age. But in no regard was he more peculiar than in his personal appearance. He was singularly tall and thin. He stooped much. His limbs were exceedingly long and emaciated. His forehead was broad and low. His complexion was absolutely bloodless. His mouth was large and flexible, and his teeth were more wildly uneven, although sound, than I had ever before seen teeth in a human head. The expression of his smile, however, was by no means unpleasing, as might be supposed: but it had no variation whatever. It was one of profound melancholy – of a phaseless and unceasing gloom. His eyes were abnormally large, and round like those of a cat. The pupils, too, upon any accession or diminution of light, underwent contraction or dilation, just such as is observed in the feline tribe. In moments of excitement the orbs grew bright to a degree almost inconceivable; seeming to emit luminous rays, not of a reflected but of an intrinsic lustre, as does a candle or the sun; yet their ordinary condition was so totally vapid, filmy, and

Eine Erzählung aus den Rauhen Bergen

Im Herbst des Jahres 1827, als ich in der Nähe von Charlottesville in Virginia wohnte, machte ich zufällig die Bekanntschaft von Mr. Augustus Bedloe. Dieser junge Herr war in jeder Hinsicht bemerkenswert und weckte starkes Interesse und große Neugier in mir. Es war mir nicht möglich, seinen geistigen oder physischen Hintergrund zu verstehen. Über seine Familie konnte ich keine befriedigende Auskunft erhalten. Woher er kam, fand ich nie heraus. Obgleich ich ihn einen jungen Herrn genannt habe, war selbst sein Alter etwas, was mich in nicht geringem Maße verwirrte. Gewiß schien er jung zu sein – und er sprach auch ausdrücklich von seiner Jugend –, doch gab es Augenblicke, in denen ich mir ohne große Mühe hätte vorstellen können, daß er hundert Jahre alt sei. Aber in keiner Beziehung war er so eigentümlich zu nennen wie in seiner persönlichen Erscheinung.

Seine Figur war sonderbar groß und hager und stark gebeugt. Seine Glieder waren übermäßig lang und ausgemergelt. Seine Stirn war breit und niedrig. Seine Haut sah vollkommen blutleer aus. Sein Mund war groß und beweglich, und seine Zähne, obwohl gesund, waren von einer wilderen Unregelmäßigkeit, als ich es jemals in einem menschlichen Schädel gesehen habe. Trotzdem hatte sein Lächeln keinesfalls einen unangenehmen Ausdruck, wie man hätte vermuten können; allerdings veränderte es sich nie. Es lag tiefe Melancholie darin – eine gleichbleibende, anhaltende Schwermut. Seine Augen waren ungewöhnlich groß – und rund wie die einer Katze. Auch verengten oder weiteten sich seine Pupillen mit jedem größeren oder geringeren Lichteinfall, gerade so, wie es sich bei der Familie der Katzen beobachten läßt. In Augenblicken der Erregung begannen seine Augen in einem fast nicht vorstellbaren Maße zu leuchten; sie sandten gleichsam helle Strahlen aus, und zwar keinen reflektierten, sondern einen eigenen Schein, so wie eine Kerze oder die Sonne. Doch ihr gewöhnlicher Ausdruck war so vollkommen leblos, trübe

dull, as to convey the idea of the eyes of a long-interred corpse.

These peculiarities of person appeared to cause him much annoyance, and he was continually alluding to them in a sort of half explanatory, half apologetic strain, which, when I first heard it, impressed me very painfully. I soon, however, grew accustomed to it, and my uneasiness wore off. It seemed to be his design rather to insinuate than directly to assert that, physically, he had not always been what he was – that a long series of neuralgic attacks had reduced him from a condition of more than usual personal beauty, to that which I saw. For many years past he had been attended by a physician, named Templeton – an old gentleman, perhaps seventy years of age – whom he had first encountered at Saratoga, and from whose attention, while there, he either received, or fancied that he received, great benefit. The result was that Bedloe, who was wealthy, had made an arrangement with Dr Templeton, by which the latter, in consideration of a liberal annual allowance, had consented to devote his time and medical experience exclusively to the care of the invalid.

Doctor Templeton had been a traveller in his younger days, and at Paris had become a convert, in great measure, to the doctrine of Mesmer. It was altogether by means of magnetic remedies that he had succeeded in alleviating the acute pains of his patient; and this success had very naturally inspired the latter with a certain degree of confidence in the opinions from which the remedies had been educed. The doctor, however, like all enthusiasts, had struggled hard to make a thorough convert of his pupil, and finally so far gained his point as to induce the sufferer to submit to numerous experiments. By a frequent repetition of these, a result had arisen, which of late days has become so com-

und stumpf, daß sie wie die Augen eines seit langem begrabenen Leichnams wirkten.

Diese Eigentümlichkeiten seiner Person bereiteten ihm offenbar viel Verdruß, und er spielte ständig in halb erklärenden, halb entschuldigenden Bemühungen darauf an, was mich sehr unangenehm berührte, als ich es zum ersten Mal hörte. Ich gewöhnte mich jedoch bald daran, und mein Unbehagen schwand. Es schien seine Absicht zu sein, eher anzudeuten als offen zu behaupten, daß seine körperliche Verfassung nicht immer so gewesen war wie jetzt – daß eine lange Reihe neuralgischer Anfälle eine ungewöhnliche Schönheit der Person in den Zustand verwandelt hatte, den ich vor mir sah.

Seit vielen Jahren war er von einem Arzt namens Templeton behandelt worden, einem alten Herrn von vielleicht siebzig Jahren, den er zuerst in Saratoga getroffen hatte und dessen ärztliche Kunst ihm dort entweder wirklich oder in seiner Einbildung von großem Nutzen gewesen war. Das hatte dazu geführt, daß Bedloe, der vermögend war, eine Vereinbarung mit Dr. Templeton getroffen hatte, wonach dieser in Anbetracht eines großzügigen jährlichen Einkommens zugestimmt hatte, seine Zeit und seine medizinische Erfahrung einzig und allein der Betreuung des Kranken zu widmen.

Doktor Templeton war in seinen jüngeren Jahren viel gereist und in Paris weitgehend zu einem Anhänger der Mesmerschen Lehre geworden. Ausschließlich mit magnetischen Mitteln war es ihm gelungen, die heftigen Schmerzen seines Patienten zu lindern; und dieser Erfolg hatte letzteren natürlicherweise mit einem gewissen Vertrauen in die Ansichten erfüllt, aus denen die Mittel abgeleitet worden waren.

Der Doktor hatte jedoch wie alle Enthusiasten hart gekämpft, um seinen Schüler gänzlich zu bekehren, und hatte letzten Endes insoweit Erfolg gehabt, als er den Leidenden überredet hatte, sich zahlreichen Experimenten zu unterwerfen. Deren häufige Wiederholung hatte zu einem Ergebnis geführt, das in unseren Tagen so selbstverständlich geworden ist, daß es

mon as to attract little or no attention, but which, at the period of which I write, had very rarely been known in America. I mean to say, that between Dr Templeton and Bedloe there had grown up, little by little, a very distinct and strongly-marked *rapport*, or magnetic relation. I am not prepared to assert, however, that this *rapport* extended beyond the limits of the simple sleep-producing power; but this power itself had attained great intensity. At the first attempt to induce the magnetic somnolency, the mesmerist entirely failed. In the fifth or sixth he succeeded very partially, and after long-continued effort. Only at the twelfth was the triumph complete. After this the will of the patient succumbed rapidly to that of the physician, so that, when I first became acquainted with the two, sleep was brought about almost instantaneously by the mere volition of the operator, even when the invalid was unaware of his presence. It is only now, in the year 1845, when similar miracles are witnessed daily by thousands, that I dare venture to record this apparent impossibility as a matter of serious fact.

The temperature of Bedloe was in the highest degree sensitive, excitable, enthusiastic. His imagination was singularly vigorous and creative; and no doubt it derived additional force from the habitual use of morphine, which he swallowed in great quantity, and without which he would have found it impossible to exist. It was his practice to take a very large dose of it immediately after breakfast each morning, – or, rather, immediately after a cup of strong coffee, for he ate nothing in the forenoon, – and then set forth alone, or attended only by a dog, upon a long ramble among the chain of wild and dreary hills that lie westward and southward of Charlottesville, and are there dignified by the title of the Ragged Mountains.

38

39

Upon a dim, warm, misty day, toward the close

wenig oder gar kein Aufsehen mehr erregt, das aber zu der Zeit, über die ich schreibe, in Amerika fast nicht bekannt war. Damit will ich sagen, daß zwischen Dr. Templeton und Bedloe nach und nach ein deutlicher und ausgeprägter Rapport oder eine magnetische Verbindung entstanden war. Ich bin zwar nicht gewillt zu behaupten, daß dieser Rapport über die einfache, Schlaf erzeugende Kraft hinausging; aber diese Kraft selbst hatte große Eindringlichkeit erreicht.

Der erste Versuch, magnetische Schläfrigkeit zu bewirken, mißlang dem Mesmeristen völlig. Der fünfte oder sechste war nach langem Bemühen zu einem geringen Teil erfolgreich. Erst beim zwölften Versuch war der Triumph vollkommen. Danach unterwarf sich der Wille des Patienten rasch dem des Arztes, so daß zu der Zeit, als ich mit den beiden bekannt wurde, der Schlaf fast auf der Stelle durch die bloße Willenskraft des Magnetiseurs hervorgerufen wurde, selbst wenn der Kranke sich seiner Gegenwart nicht bewußt war. Erst in unserer Zeit, im Jahre 1845, wo Tausende täglich zu Zeugen derartiger Wunder werden, wage ich es, diese scheinbare Unmöglichkeit als ernstzunehmende Tatsache zu berichten.

Bedloe hatte ein in höchstem Maße empfindsames, erregbares, begeisterungsfähiges Wesen. Seine Phantasie war ungemein stark und schöpferisch und bezog zweifellos zusätzliche Kraft aus dem gewohnheitsmäßigen Gebrauch von Morphium, das er in beträchtlichen Mengen zu sich nahm und ohne das er nicht hätte leben können.

Er verabreichte sich regelmäßig jeden Morgen eine große Dosis unmittelbar nach dem Frühstück – oder, besser gesagt, unmittelbar nach einer Tasse starken Kaffees, denn er aß am Vormittag nichts – und brach dann allein oder nur von einem Hund begleitet auf zu einer langen Wanderung in der öden und düsteren Bergkette, die sich im Westen und Süden von Charlottesville befindet und dort den ehrenvollen Namen «Rauhe Berge» trägt.

An einem verhangenen, warmen, dunstigen Tag gegen

of November, and during the strange *interregnum* of the seasons which in America is termed the Indian summer, Mr Bedloe departed as usual for the hills. The day passed, and still he did not return.

About eight o'clock at night, having become seriously alarmed at his protracted absence, we were about setting out in search of him, when he unexpectedly made his appearance, in health no worse than usual, and in rather more than ordinary spirits. The account which he gave of his expedition, and of the events which had detained him, was a singular one indeed.

"You will remember," said he, "that it was about nine in the morning when I left Charlottesville. I bent my steps immediately to the mountains, and, about ten, entered a gorge which was entirely new to me. I followed the windings of this pass with much interest. The scenery which presented itself on all sides, although scarcely entitled to be called grand, had about it an indescribable and to me a delicious aspect of dreary desolation. The solitude seemed absolutely virgin. I could not help believing that the green sods and the grey rocks upon which I trod had been trodden never before by the foot of a human being. So entirely secluded, and in fact inaccessible, except through a series of accidents, is the entrance of the ravine, that it is by no means impossible that I was the first adventurer – the very first and sole adventurer who had ever penetrated its recesses.

"The thick and peculiar mist, or smoke, which distinguishes the Indian summer, and which now hung heavily over all objects, served, no doubt, to deepen the vague impressions which these objects created. So dense was this pleasant fog that I could at no time see more than a dozen yards of the path
40 before me. This path was excessively sinuous, and
41 as the sun could not be seen, I soon lost all idea of

Ende November – während des seltsamen Interregnums zwischen den Jahreszeiten, das in Amerika als Indianersommer bezeichnet wird – begab sich Mr. Bedloe wie gewöhnlich in die Berge. Der Tag ging vorüber, und Mr. Bedloe kehrte immer noch nicht zurück.

Gegen acht Uhr abends waren wir ernsthaft beunruhigt über sein langes Ausbleiben und wollten gerade aufbrechen, um ihn zu suchen, als er unvermutet erschien – in keinem schlechteren Gesundheitszustand als üblich und in eher gehobener Stimmung. Was er uns berichtete über seinen Ausflug und die Ereignisse, die ihn aufgehalten hatten, war in der Tat einzigartig.

«Sie werden sich erinnern», sagte er, «daß es ungefähr neun Uhr morgens war, als ich Charlottesville verließ. Ich lenkte meinen Schritt auf kürzestem Weg in die Berge und betrat etwa gegen zehn eine Schlucht, die mir gänzlich neu war. Ich folgte den Windungen des engen Weges mit vermehrter Aufmerksamkeit. Die Landschaft, die sich rings umher bot, war nicht gerade großartig zu nennen, hatte aber einen unbeschreiblichen und für mich wunderbaren Zug düsterer Verlassenheit.

Die öde Gegend schien völlig unberührt zu sein. Ich konnte nicht anders als glauben, daß die grüne Grasnarbe und der graue Fels, auf den ich trat, noch nie vom Fuß eines Menschen betreten worden waren. Der Eingang zur Schlucht ist so vollkommen abgelegen und in der Tat unerreichbar (wenn nicht durch eine Reihe von Zufällen), daß es durchaus möglich ist, daß ich der erste, der allererste und einzige Wagemutige war, der je in ihre Tiefen vorgedrungen ist.

Der dichte und seltsame Dunst oder Rauch, der bezeichnend für den Indianersommer ist und nun schwer über allen Dingen hing, bewirkte zweifellos eine Steigerung der unbestimmten Eindrücke, die von diesen Dingen ausgingen. So undurchdringlich war dieser angenehme Nebel, daß ich von dem Pfad vor mir nie mehr als ein Dutzend Yards sehen konnte. Dieser Pfad war außerordentlich gewunden, und da die Sonne nicht zu sehen war, verlor ich bald jeden Sinn

the direction in which I journeyed. In the meantime the morphine had its customary effect – that of enduing all the external world with an intensity of interest. In the quivering of a leaf – in the hue of a blade of grass – in the shape of a trefoil – in the humming of a bee – in the gleaming of a dew-drop – in the breathing of the wind – in the faint odours that came from the forest – there came a whole universe of suggestion – a gay and motley train of rhapsodical and immethodical thought.

"Busied in this, I walked on for several hours, during which the mist deepened around me to so great an extent that at length I was reduced to an absolute groping of the way. And now an indescribable uneasiness possessed me – a species of nervous hesitation and tremor. I feared to tread, lest I should be precipitated into some abyss. I remembered, too, strange stories told about these Ragged Hills, and of the uncouth and fierce races of men who tenanted their groves and caverns. A thousand vague fancies oppressed and disconcerted me – fancies the more distressing because vague. Very suddenly my attention was arrested by the loud beating of a drum.

"My amazement was, of course, extreme. A drum in these hills was a thing unknown. I could not have been more surprised at the sound of the trump of the Archangel. But a new and still more astounding source of interest and perplexity arose. There came a wild rattling or jingling sound, as if of a bunch of large keys, and upon the instant a dusky-visaged and half-naked man rushed past me with a shriek. He came so close to my person that I felt his hot breath upon my face. He bore in one hand an instrument composed of an assemblage of steel rings, and shook them vigorously as he ran. Scarcely had he disappeared in the mist, before, panting after him, with open mouth and glaring

für die Richtung, in die ich ging. Inzwischen tat das Morphium seine übliche Wirkung: die ganze äußere Welt mit reizvoller Intensität auszustatten. Im Zittern eines Blattes – in der Farbe eines Grashalmes – in der Form eines Kleeblattes – im Summen einer Biene – im Glitzern eines Tautropfens – im Hauch des Windes – in den schwachen Düften, die aus dem Wald kamen – lag eine ungeheure Fülle von Anregungen – ein fröhlicher, bunter Zug überschwenglicher, ungeordneter Gedanken.

Auf diese Weise beschäftigt ging ich mehrere Stunden lang dahin, während derer sich der Dunst um mich herum in einem solchen Ausmaß verdichtete, daß ich mich schließlich nur noch vorwärtstasten konnte. Und nun ergriff mich ein nicht zu schilderndes Unbehagen – eine Art unruhiges Zögern und Zittern. Ich wagte keinen Schritt zu tun aus Furcht, in einen Abgrund zu stürzen. Auch erinnerte ich mich an seltsame Geschichten über diese «Rauhen Berge» und über die fremdartigen und grimmigen Geschlechter, die in ihren Waldungen und Höhlen wohnten. Tausende von unbestimmten Einbildungen bedrückten und beunruhigten mich – Einbildungen, die um so bedrängender waren, als sie unbestimmt blieben. Da wurde ganz plötzlich meine Aufmerksamkeit durch das laute Schlagen einer Trommel gefesselt.

Meine Verwunderung war natürlich grenzenlos. Eine Trommel war in diesen Bergen etwas Unbekanntes. Wäre die Posaune des Erzengels erschallt – meine Überraschung hätte nicht größer sein können. Doch schon bot sich ein neuer und noch verblüffenderer Anlaß für Aufmerksamkeit und Verwirrung. Ein wildes Klirren oder Klingeln ertönte, wie von einem Bund großer Schlüssel, und im selben Augenblick stürzte ein dunkelgesichtiger, halbnackter Mann mit einem Schrei an mir vorüber. Er kam mir so nahe, daß ich seinen heißen Atem im Gesicht spürte. In der einen Hand trug er ein Instrument, das aus einer Anzahl stählerner Ringe bestand, die er beim Laufen heftig schüttelte. Kaum war er im Dunst verschwunden, als keuchend ein riesiges Tier hinter ihm hersetzte, mit offenem Maul und glühenden Augen. Ich

eyes, there darted a huge beast. I could not be mistaken in its character. It was a hyena.

"The sight of this monster rather relieved than heightened my terrors – for I now made sure that I dreamed, and endeavoured to arouse myself to waking consciousness. I stepped boldly and briskly forward. I rubbed my eyes. I called aloud. I pinched my limbs. A small spring of water presented itself to my view, and here, stooping, I bathed my hands and my head and neck. This seemed to dissipate the equivocal sensations which had hitherto annoyed me. I arose, as I thought, a new man, and proceeded steadily and complacently on my unknown way.

"At length, quite overcome by exertion, and by a certain oppressive closeness of the atmosphere, I seated myself beneath a tree. Presently there came a feeble gleam of sunshine, and the shadow of the leaves of the tree fell faintly but definitely upon the grass. At this shadow I gazed wonderingly for many minutes. Its character stupefied me with astonishment. I looked upward. The tree was a palm.

"I now rose hurriedly, and in a state of fearful agitation – for the fancy that I dreamed would serve me no longer. I saw – I felt that I had perfect command of my senses – and these senses now brought to my soul a world of novel and singular sensation. The heat became all at once intolerable. A strange odour loaded the breeze. A low, continuous murmur, like that arising from a full, but gently flowing river, came to my ears, intermingled with the peculiar hum of multitudinous human voices.

"While I listened in an extremity of astonishment which I need not attempt to describe, a strong and brief gust of wind bore off the incumbent fog as if by the wand of an enchanter.

konnte mich in seinen Merkmalen nicht irren: Es war eine Hyäne.

Der Anblick dieses Ungeheuers verringerte eher mein Entsetzen, statt es zu steigern – denn nun überzeugte ich mich, daß ich träumte, und bemühte mich, ein waches Bewußtsein wiederzuerlangen. Ich schritt kühn und energisch vorwärts. Ich rieb mir die Augen. Ich rief laut. Ich kniff mich in die Glieder. Mein Blick fiel auf eine kleine Wasserquelle, und hier bückte ich mich und wusch mir die Hände sowie Kopf und Nacken. Das schien die ungewissen Empfindungen zu vertreiben, die mich bis dahin behelligt hatten. Ich erhob mich als ein neuer Mensch – so dachte ich – und ging ruhig und zufrieden auf meinem unbekannten Weg weiter.

Schließlich überwältigten mich die Anstrengung und eine gewisse drückende Schwüle der Luft, und ich ließ mich unter einem Baum nieder. Bald darauf erschien ein schwacher Schimmer von Sonnenlicht, und die Blätter des Baumes warfen einen leichten, aber genauen Schatten auf das Gras. Viele Minuten lang starrte ich verwundert auf diesen Schatten. Seine Merkmale machten mich benommen vor Erstaunen. Ich blickte nach oben. Der Baum war eine Palme.

Hastig und in einem Zustand furchtbarer Erregung stand ich auf – denn die Einbildung, daß ich träumte, half mir nicht länger. Ich sah – ich fühlte, daß ich vollkommen Herr meiner Sinne war – und diese Sinne vermittelten meiner Seele jetzt eine Welt neuartiger und sonderbarer Empfindungen. Die Hitze war auf einmal unerträglich geworden. Der leichte Wind brachte einen seltsamen Duft mit sich. An mein Ohr drang ein leises, anhaltendes Gemurmel, ähnlich demjenigen, das ein wasserreicher, aber sanft dahinströmender Fluß hervorbringt; und es vermischte sich mit dem eigentümlichen Summen einer Vielzahl menschlicher Stimmen.

Während ich in höchstem Erstaunen zuhörte – den Versuch, dieses Erstaunen zu beschreiben, brauche ich nicht zu machen –, fegte ein kräftiger, kurzer Windstoß wie mit einem Zauberstab den Nebel fort, der über allem lag.

"I found myself at the foot of a high mountain, and looking down into a vast plain, through which wound a majestic river. On the margin of this river stood an Eastern-looking city, such as we read of in the Arabian Tales, but of a character even more singular than any there described. From my position, which was far above the level of the town, I could perceive its every nook and corner, as if delineated on a map. The streets seemed innumerable, and crossed each other irregularly in all directions, but were rather long winding alleys than streets, and absolutely swarmed with inhabitants. The houses were wildly picturesque. On every hand was a wilderness of balconies, of verandas, of minarets, of shrines, and fantastically carved oriels. Bazaars abounded; and there were displayed rich wares in infinite variety and profusion – silks, muslins, the most dazzling cutlery, the most magnificent jewels and gems.

Besides these things, were seen, on all sides, banners and palanquins, litters with stately dames close-veiled, elephants gorgeously caparisoned, idols grotesquely hewn, drums, banners, and gongs, spears, silver and gilded maces. And amid the crowd, and the clamour, and the general intricacy and confusion – amid the million of black and yellow men, turbaned and robed, and of flowing beard, there roamed a countless multitude of holy filleted bulls, while vast legions of the filthy but sacred ape clambered, chattering and shrieking, about the cornices of the mosques, or clung to the minarets and oriels. From the swarming streets to the banks of the river, there descended innumerable flights of steps leading to bathing places, while the river itself seemed to force a passage with difficulty through the vast fleets of deeply burdened ships that far and wide encountered its surface. Beyond the limits of the city arose, in frequent majestic

Ich befand mich am Fuß eines hohen Berges und blickte hinab auf eine weite Ebene, durch die sich ein majestätischer Fluß wand. Am Ufer dieses Flusses stand eine orientalisch aussehende Stadt, ähnlich denjenigen, die wir aus den arabischen Märchen kennen, aber von noch seltsamerem Charakter als irgendeine dort geschilderte. Von meinem Standort aus, der weit über der Stadt lag, konnte ich alle Ecken und Winkel erkennen, als ob sie auf einem Plan aufgezeichnet wären. Die Zahl der Straßen schien unendlich zu sein, und sie kreuzten einander ohne Regelmäßigkeit in allen Richtungen, doch handelte es sich eher um lange, gewundene Gassen als um Straßen, und sie waren angefüllt mit Schwärmen von Einwohnern. Die Häuser waren auf eine wirre Art malerisch; überall gab es Unmengen von Balkonen, Veranden, Minaretten, Heiligenschreinen und phantastisch geschnitzten Erkern zu sehen. Basare waren im Überfluß vorhanden; und sie stellten reiche Güter in unendlicher Vielfalt und Fülle zur Schau – Seidenstoffe, Baumwollstoffe, die glänzendsten Erzeugnisse der Messerschmiedekunst, die prächtigsten Juwelen und Edelsteine. Außer diesen Dingen konnte man überall Banner und Palankins erblicken, Sänften mit vornehmen, tief verschleierten Damen, auf das Prunkvollste geschmückte Elefanten, grotesk zurechtgehauene Götterbilder, Trommeln, Banner, Gongs, Speere, silberne und vergoldete Schlagkeulen. Und inmitten der Menge, inmitten des Lärmes, inmitten des allgemeinen Wirrwarrs und Durcheinanders – inmitten der Massen von dunkelhäutigen und gelbhäutigen Menschen mit Turbanen und langen Gewändern und wallenden Bärten wanderte eine zahllose Menge heiliger, mit Stirnbändern geschmückter Stiere umher, während riesige Heerscharen der schmutzigen, aber heiligen Affen schnatternd und kreischend zwischen den Simsen der Moscheen herumkletterten oder an den Minaretten und Erkern hingen. Unzählige Treppen führten vom Gewimmel der Straßen zu Badeplätzen am Flußufer hinunter, während der Fluß selbst sich mit Mühe zwischen den riesigen Flotten schwer beladener Schiffe hindurchzuzwängen schien, die ringsumher seine Wasserfläche bedrängten. Außerhalb der

groups, the palm and the cocoa, with other gigantic and weird trees of vast age; and here and there might be seen a field of rice, the thatched hut of a peasant, a tank, a stray temple, a gipsy camp, or a solitary graceful maiden taking her way, with a pitcher upon her head, to the banks of the magnificent river.

"You will say now, of course, that I dreamed; but not so. What I saw – what I heard – what I felt – what I thought – had about it nothing of the unmistakable idiosyncrasy of the dream. All was rigorously self-consistent. At first, doubting that I was really awake, I entered into a series of tests, which soon convinced me that I really was.

Now when one dreams, and, in the dream, suspects that he dreams, the suspicion *never fails to confirm itself*, and the sleeper is almost immediately aroused. Thus Novalis errs not in saying that 'we are near waking when we dream that we dream'. Had the vision occurred to me as I describe it, without my suspecting it as a dream, then a dream it might absolutely have been, but, occurring as it did, and suspected and tested as it was, I am forced to class it among other phenomena."

"In this I am not sure that you are wrong," observed Dr Templeton, "but proceed. You arose and descended into the city."

"I arose," continued Bedloe, regarding the Doctor with an air of profound astonishment, "I arose as you say, and descended into the city. On my way I fell in with an immense populace, crowding through every avenue, all in the same direction, and exhibiting in every action the wildest excitement. Very suddenly, and by some inconceivable impulse, I became intensely imbued with personal interest in what was going on. I seemed to feel that I had an important part to play, without exactly

Stadtgrenzen wuchsen in vielen majestätischen Gruppen Palmen und Kokospalmen sowie andere riesige, unheimliche, uralte Bäume; und hier und da konnte man ein Reisfeld sehen, die strohgedeckte Hütte eines Bauern, eine Zisterne, einen einsam gelegenen Tempel, ein Zigeunerlager oder ein einzelnes, anmutiges Mädchen, das mit einem Wasserkrug auf dem Kopf zum Ufer des prachtvollen Flusses ging.

Sie werden nun natürlich sagen, daß ich träumte; doch dem war nicht so. Was ich sah – was ich hörte – was ich fühlte – was ich dachte – hatte nichts von der unverkennbaren Eigenart des Traumes an sich. Alles war in sich streng folgerichtig. Da ich anfangs daran zweifelte, daß ich wirklich wach war, stellte ich eine Reihe von Untersuchungen an, die mich bald davon überzeugten, daß ich es wirklich war. Wenn zum Beispiel jemand träumt und im Traum argwöhnt, er träume, so wird sich dieser Argwohn unfehlbar bestätigen und der Schläfer fast zum selben Zeitpunkt wach werden. Darum irrt Novalis nicht, wenn er sagt, daß ‹wir nahe daran sind aufzuwachen, wenn wir träumen, daß wir träumen›. Hätte ich die Vision gehabt, so wie ich sie beschreibe, ohne zu argwöhnen, daß sie ein Traum sei, so hätte sie durchaus ein Traum sein können; aber da sie in dieser Weise stattgefunden hatte und in dieser Weise beargwöhnt und untersucht worden war, bin ich gezwungen, sie unter andere Phänomene einzureihen.»

«Ich bin nicht sicher, daß Sie darin unrecht haben», bemerkte Dr. Templeton, «doch erzählen Sie weiter! Sie standen auf und gingen in die Stadt hinunter.»

«Ich stand auf», fuhr Bedloe fort und betrachtete den Doktor mit dem Ausdruck höchsten Erstaunens, «ich stand auf, wie Sie sagen, und ging in die Stadt hinunter. Auf meinem Weg schloß ich mich riesigen Menschenmassen an, die alle in einer bestimmten Richtung durch die Straßen wogten und deren Betragen von wildester Erregung zeugte. Ganz plötzlich, durch einen unbegreiflichen Impuls, wurde ich von einer starken eigenen Anteilnahme an den Vorgängen durchdrungen. Ich schien das Gefühl zu haben, daß ich eine wichtige Rolle zu spielen hatte, ohne genau zu wissen,

understanding what it was. Against the crowd which environed me, however, I experienced a deep sentiment of animosity. I shrank from amid them, and, swiftly, by a circuitous path, reached and entered the city. Here all was the wildest tumult and contention. A small party of men, clad in garments half Indian, half European, and officered by gentlemen in a uniform partly British, were engaged, at great odds, with the swarming rabble of the allies. I joined the weaker party, arming myself with the weapons of a fallen officer, and fighting I knew not whom with the nervous ferocity of despair. We were soon overpowered by numbers, and driven to seek refuge in a species of kiosk. Here we barricaded ourselves, and, for the present, were secure. From a loop-hole near the summit of the kiosk, I perceived a vast crowd, in furious agitation, surrounding and assaulting a gay palace that overhung the river. Presently, from an upper window of this palace, there descended an effeminate-looking person, by means of a string made of the turbans of his attendants. A boat was at hand in which he escaped to the opposite bank of the river.

"And now a new object took possession of my soul. I spoke a few hurried but energetic words to my companions, and, having succeeded in gaining over a few of them to my purpose, made a frantic sally from the kiosk. We rushed amid the crowd that surrounded it. They retreated, at first, before us. They rallied, fought madly, and retreated again. In the meantime we were borne far from the kiosk, and became bewildered and entangled among the narrow streets of tall, overhanging houses, into the recesses of which the sun had never been able to shine. The rabble pressed impetuously upon us, harassing us with their spears, and overwhelming us with flights of arrows. These latter were very remarkable, and resembled in some respects the

worin sie bestand. Gegenüber der Menge, die mich umgab, empfand ich jedoch tiefe Feindseligkeit. Ich wich aus ihrer Mitte zurück, gelangte auf einem Umweg rasch zur Stadt und ging hinein. Hier befand sich alles in wildestem Aufruhr und Streit. Eine kleine Gruppe halb indisch, halb europäisch gekleideter Männer, die von teilweise britisch uniformierten Herren befehligt wurden, kämpfte einen ungleichen Kampf gegen den herandrängenden Straßenpöbel. Ich verband mich mit der schwächeren Seite, rüstete mich mit den Waffen eines gefallenen Offiziers aus und focht mit dem wilden Mut der Verzweiflung gegen Unbekannt. Wir waren bald zahlenmäßig unterlegen und genötigt, in einer Art Pavillon Zuflucht zu suchen. Hier verbarrikadierten wir uns und waren für eine Weile sicher. Durch ein Loch dicht an der höchsten Stelle des Pavillons erblickte ich eine riesige Menschenmenge, die in zorniger Erregung einen hübschen Palast umringte und angriff, der seitlich über den Fluß hinausragte. Gleich darauf sah ich, wie sich aus einem der oberen Fenster des Palastes ein weibisch aussehender Mensch herabließ, mit Hilfe eines Seils, das aus den Turbanen seiner Bediensteten geknüpft war. Ein Boot lag bereit, in dem er an das gegenüberliegende Ufer entkam.

Und nun ergriff eine neue Absicht Besitz von meiner Seele. Ich sagte ein paar rasche, aber nachdrückliche Worte zu meinen Gefährten, und nachdem es mir gelungen war, ein paar von ihnen für mein Vorhaben zu gewinnen, machte ich einen wütenden Ausfall aus dem Pavillon. Wir stürzten uns in die Menge, die ihn umringte. Zunächst wichen die Leute vor uns zurück. Sie scharten sich zusammen, kämpften wild und wichen wieder zurück. Inzwischen hatten wir uns weit vom Pavillon entfernt und gerieten in den engen Straßen zwischen hohen, vorspringenden Häusern, in deren Winkel die Sonne nie hineinzuscheinen vermocht hatte, in Verwirrung und Bedrängnis. Der Pöbel setzte uns heftig zu; er ließ uns mit seinen Speeren nicht zur Ruhe kommen und überschüttete uns mit einem Hagel von Pfeilen. Letztere waren bemerkenswert; in mancher Hinsicht ähnelten sie dem geschlängelten malaiischen Dolch. Sie sollten

writhing creese of the Malay. They were made to imitate the body of a creeping serpent, and were long and black, with a poisoned barb. One of them struck me upon the right temple. I reeled and fell. An instantaneous and dreadful sickness seized me. I struggled – I gasped – I died."

"You will hardly persist *now*," said I, smiling, "that the whole of your adventure was not a dream. You are not prepared to maintain that you are dead?"

When I said these words, I of course expected some lively sally from Bedloe in reply; but, to my astonishment, he hesitated, trembled, became fearfully pallid, and remained silent. I looked towards Templeton. He was erect and rigid in his chair – his teeth chattered, and his eyes were starting from their sockets. "Proceed!" he at length said hoarsely to Bedloe.

"For many minutes," continued the latter, "my sole sentiment – my sole feeling – was that of darkness and nonentity, with the consciousness of death. At length there seemed to pass a violent and sudden shock through my soul, as if of electricity. With it came the sense of elasticity and of light. This latter I felt – not saw. In an instant I seemed to rise from the ground. But I had no bodily, no visible, audible, or palpable presence. The crowd had departed. The tumult had ceased. The city was in comparative repose. Beneath me lay my corpse, with the arrow in my temple, the whole head greatly swollen and disfigured. But all these things I felt – not saw. I took interest in nothing. Even the corpse seemed a matter in which I had no concern. Volition I had none, but appeared to be impelled into motion, and flitted buoyantly out of the city, retracing the circuitous path by which I had entered it. When I had attained that point of the ravine in the mountains at which I had encoun-

dem Körper einer kriechenden Schlange gleichen, sie waren lang und schwarz und hatten einen vergifteten Widerhaken. Einer von diesen Pfeilen traf mich an der rechten Schläfe. Ich taumelte und stürzte zu Boden. Eine plötzliche, furchtbare Übelkeit befiel mich. Ich kämpfte – ich keuchte – ich starb.»

«Sie werden nun wohl kaum mehr darauf bestehen», sagte ich lächelnd, «daß diese ganze Abenteuergeschichte kein Traum war. Sie wollen doch nicht behaupten, daß Sie tot seien?»

Als ich diese Worte sagte, erwartete ich natürlich, irgendeine lebhaft-witzige Bemerkung von Bedloe als Antwort zu hören; aber zu meinem Erstaunen zögerte er, zitterte, wurde erschreckend bleich und schwieg. Ich sah Templeton an. Er saß aufrecht und starr auf seinem Stuhl – seine Zähne schlugen aufeinander und seine Augen traten aus den Höhlen. «Erzählen Sie weiter!» sagte er schließlich mit heiserer Stimme zu Bedloe.

«Viele Minuten lang», fuhr dieser fort, «bestand meine ganze Empfindung – mein ganzes Gefühl – nur in Dunkelheit und Nichtsein und im Wissen vom Tod. Dann schien ein heftiger, plötzlicher, wie durch Elektrizität hervorgerufener Schlag durch meine Seele zu gehen. Er brachte die Empfindung der Spannkraft und des Lichtes. Das Licht fühlte ich – ich sah es nicht. Innerhalb eines Augenblickes schien ich mich vom Boden zu erheben. Aber ich hatte keine körperliche, sichtbare, hörbare oder fühlbare Gestalt. Die Menschenmenge war fort, der Aufruhr zu Ende. Die Stadt lag vergleichsweise ruhig da. Unter mir befand sich mein Leichnam, mit dem Pfeil in der Schläfe; der ganze Kopf war geschwollen und entstellt. Aber all diese Dinge fühlte ich – ich sah sie nicht. Ich nahm an nichts Anteil. Selbst der Leichnam schien eine Angelegenheit, die mich nicht betraf. Ich hatte keine Willenskraft, sondern wurde offenbar durch einen Zwang bewegt und glitt schwebend aus der Stadt hinaus, zurück auf dem Umweg, auf dem ich sie betreten hatte. Als ich den Punkt der Schlucht in den Bergen erreicht hatte, an dem mir die Hyäne begegnet war, durchfuhr mich abermals

tered the hyena, I again experienced a shock as of a galvanic battery; the sense of weight, of volition, of substance, returned. I became my original self, and bent my step eagerly homeward – but the past had not lost the vividness of the real – and not now, even for an instant, can I compel my understanding to regard it as a dream."

"Nor was it," said Templeton, with an air of deep solemnity, "yet it would be difficult to say how otherwise it should be termed. Let us suppose only, that the soul of the man of to-day is upon the verge of some stupendous psychal discoveries. Let us content ourselves with this supposition. For the rest I have some explanation to make. Here is a watercolour drawing, which I should have shown you before, but which an accountable sentiment of horror has hitherto prevented me from showing."

We looked at the picture which he presented. I saw nothing in it of an extraordinary character; but its effect upon Bedloe was prodigious. He nearly fainted as he gazed. And yet it was but a miniature portrait – a miraculously accurate one, to be sure – of his own very remarkable features. At least this was my thought as I regarded it.

"You will perceive," said Templeton, "the date of this picture – it is here, scarcely visible, in this corner – 1780. In this year was the portrait taken. It is the likeness of a dead friend – a Mr Oldeb – to whom I became much attached at Calcutta, during the administration of Warren Hastings. I was then only twenty years old. When I first saw you, Mr Bedloe, at Saratoga, it was the miraculous similarity which existed between yourself and the painting which induced me to accost you, to seek your friendship, and to bring about those arrangements which resulted in my becoming your constant companion. In accomplishing this point, I was urged partly, and perhaps principally, by a regret-

ein Schlag wie von einer galvanischen Batterie; das Gefühl der Schwere, der Willenskraft, der Stofflichkeit kehrte zurück. Ich wurde wieder ich selbst und lenkte voller Eifer meine Schritte heimwärts – aber das Vergangene hatte die Lebhaftigkeit des wirklich Geschehenen nicht eingebüßt – und auch jetzt kann ich nicht eine Sekunde lang meinen Verstand dazu zwingen, es für einen Traum zu halten.»

«Es war auch keiner», sagte Templeton mit einem Ausdruck tiefer Feierlichkeit, «doch wäre es schwierig zu sagen, als was man es sonst bezeichnen sollte. Lassen Sie uns lediglich vermuten, daß der Geist des heutigen Menschen vor einigen staunenswerten psychischen Entdeckungen steht. Lassen Sie uns mit dieser Vermutung zufrieden sein. Im übrigen sollte ich einige Erklärungen abgeben. Ich habe hier eine aquarellierte Zeichnung, die ich Ihnen längst hätte zeigen sollen, die ich Ihnen aber bisher aus einem noch zu erklärenden Gefühl des Entsetzens nicht gezeigt habe.»

Wir betrachteten das Bild, das er uns überreichte. Ich erblickte nichts Außergewöhnliches an ihm; aber seine Wirkung auf Bedloe war ungeheuer. Er verlor fast die Besinnung, während er es unverwandt ansah. Und doch war es nur ein Miniaturporträt – zweifellos ein wundersam genaues – seiner eigenen bemerkenswerten Gesichtszüge. Wenigstens dachte ich das, als ich es anschaute.

«Sie sehen», sagte Templeton, «das Entstehungsdatum dieses Bildes – es steht hier, kaum sichtbar, in dieser Ecke: 1780. In diesem Jahr wurde das Porträt angefertigt. Es ist die Darstellung eines toten Freundes – eines Mr. Oldeb –, den ich in Kalkutta sehr liebgewonnen hatte, während der Amtszeit von Warren Hastings. Ich war damals erst zwanzig Jahre alt.

Als ich Sie, Mr. Bedloe, in Saratoga zum ersten Mal sah, war es die wundersame Ähnlichkeit zwischen Ihnen und dem Bildnis, die mich dazu bewog, mich Ihnen zu nähern, Ihre Freundschaft zu suchen und jene Vereinbarungen zustandezubringen, die dazu führten, daß ich Ihr ständiger Gefährte wurde. Dieses Ziel zu erreichen, drängte mich zum Teil – vielleicht sogar zur Hauptsache – die kum-

ful memory of the deceased, but also, in part, by an uneasy, and not altogether horrorless curiosity respecting yourself.

"In your detail of the vision which presented itself to you amid the hills, you have described, with the minutest accuracy, the Indian city of Benares, upon the Holy River. The riots, the combat, the massacre, were the actual events of the insurrection of Cheyte Sing, which took place in 1780, when Hastings was put in imminent peril of his life. The man escaping by the string of turbans was Cheyte Sing himself. The party in the kiosk were sepoys and British officers, headed by Hastings. Of this party I was one, and did all I could to prevent the rash and fatal sally of the officer who fell, in the crowded alleys, by the poisoned arrow of a Bengalee. That officer was my dearest friend. It was Oldeb. You will perceive by these manuscripts" (here the speaker produced a note-book in which several pages appeared to have been freshly written), "that at the very period in which you fancied these things amid the hills I was engaged in detailing them upon paper here at home."

In about a week after this conversation, the following paragraphs appeared in a Charlottesville paper:

We have the painful duty of announcing the death of Mr Augustus Bedlo, a gentleman whose amiable manners and many virtues have long endeared him to the citizens of Charlottesville.

Mr B., for some years past, has been subject to neuralgia, which has often threatened to terminate fatally; but this can be regarded only as the mediate cause of his decease. The proximate cause was one of especial singularity. In an excursion to the Ragged Mountains, a few days since, a slight cold and fever were contracted, attended with great determi-

mervolle Erinnerung an den Verstorbenen, zum Teil aber auch eine beklommene, von Entsetzen nicht ganz freie Neugier Ihnen gegenüber.

In den Einzelheiten der Vision, die Sie inmitten der Berge hatten, haben Sie mit äußerster Genauigkeit die indische Stadt Benares am heiligen Fluß geschildert. Aufruhr, Kampf und Gemetzel waren die tatsächlichen Geschehnisse des Aufstandes von Cheyte Sing, der 1780 stattfand und bei dem Hastings in unmittelbare Lebensgefahr geriet. Der Mann, der an dem Seil aus Turbanen entkam, war Cheyte Sing selbst. Die Gruppe im Pavillon bestand aus indischen Soldaten in britischen Diensten und britischen Offizieren, die von Hastings angeführt wurden. Zu dieser Gruppe gehörte auch ich, und ich tat, was ich nur konnte, um den unüberlegten und verhängnisvollen Ausfall des Offiziers zu verhindern, der dann in den dichtgedrängten Gassen durch den vergifteten Pfeil eines Bengalen fiel. Dieser Offizier war mein bester Freund. Es war Oldeb. Sie werden an diesen Aufzeichnungen erkennen» (an dieser Stelle holte der Sprechende ein Notizbuch hervor, in dem etliche Seiten frisch geschrieben zu sein schienen), «daß genau zu der Zeit, als Sie inmitten der Berge diese Dinge im Geiste erlebten, ich hier zu Hause damit beschäftigt war, sie in allen Einzelheiten zu Papier zu bringen.»

Etwa eine Woche nach dieser Unterhaltung erschienen die folgenden Absätze in einer Charlottesviller Zeitung:

Wir haben die schmerzliche Pflicht, den Tod von Mr. Augustus Bedlo anzuzeigen, einem Herrn, der durch sein liebenswürdiges Verhalten und viele gute Eigenschaften den Bürgern von Charlottesville seit langem teuer geworden war.

Mr. B. litt seit einigen Jahren an einem Nervenleiden, das schon wiederholt einen tödlichen Ausgang zu nehmen drohte; doch dieses Leiden kann nur als ein mittelbarer Grund seines Hinscheidens betrachtet werden. Der unmittelbare Grund ist von besonderer Eigenartigkeit. Bei einem Ausflug in die Rauhen Berge einige Tage zuvor zog sich Mr. B. eine leichte, fieberhafte Erkältung zu, die mit einem star-

nation of blood to the head. To relieve this, Dr Templeton resorted to topical bleeding. Leeches were applied to the temples. In a fearfully brief period the patient died, when it appeared that, in the jar containing the leeches, had been introduced, by accident, one of the venomous vermicular sangsues which are now and then found in the neighbouring ponds. This creature fastened itself upon a small artery in the right temple. Its close resemblance to the medicinal leech caused the mistake to be overlooked until too late.

N.B. – The poisonous sangsue of Charlottesville may always be distinguished from the medicinal leech by its blackness, and especially by its writhing or vermicular motions, which very nearly resemble those of a snake.

I was speaking with the editor of the paper in question, upon the topic of this remarkable accident, when it occurred to me to ask how it happened that the name of the deceased had been given as Bedlo.

"I presume," said I, "you have authority for this spelling, but I have always supposed the name to be written with an *e* at the end."

"Authority? – no," he replied. "It is a mere typographical error. The name is Bedlo with an *e*, all the world over, and I never knew it to be spelt otherwise in my life."

"Then," said I mutteringly, as I turned upon my heel, "then indeed has it come to pass that one truth is stranger than any fiction – for Bedlo, without the *e*, what is it but Oldeb conversed? And this man tells me it is a typographical error."

ken Blutandrang im Kopf verbunden war. Dr. Templeton griff zum Mittel des lokalen Aderlasses. Blutegel wurden an den Schläfen angesetzt. In erschreckend kurzer Zeit starb der Patient, und es wurde offenkundig, daß in das Gefäß, das die Blutegel enthielt, aus Versehen einer der giftigen, wurmartigen Blutegel hineingelangt war, die ab und zu in den Teichen der Nachbarschaft gefunden werden. Dieses Tier biß sich an einer kleinen Arterie in der rechten Schläfe fest. Seine große Ähnlichkeit mit dem medizinischen Blutegel führte dazu, daß der Fehler übersehen wurde, bis es zu spät war.

NB – Der giftige Blutegel von Charlottesville kann von dem medizinischen stets durch seine Schwärze unterschieden werden und vor allem durch seine sich windenden, wurmartigen Bewegungen, die sehr stark denjenigen einer Schlange ähneln.

Ich unterhielt mich mit dem Chefredakteur der betreffenden Zeitung über das Thema dieses bemerkenswerten Unglücksfalles, als mir in den Sinn kam, ihn danach zu fragen, wie es gekommen sei, daß der Name des Verstorbenen mit Bedlo angegeben worden war.

«Ich vermute», sagte ich, «daß Sie zu dieser Schreibweise befugt sind, doch ich nahm immer an, der Name buchstabiere sich mit einem e am Ende.»

«Befugt? Nein», antwortete er. «Das ist nur ein Druckfehler. Der Name heißt überall auf der Welt Bedlo mit einem e, und ich habe ihn mein Leben lang nicht anders geschrieben gesehen.»

«Dann», murmelte ich, als ich auf dem Absatz kehrtmachte, «dann ist es wirklich geschehen, daß eine Wahrheit befremdlicher ist als jede Dichtung – denn Bedlo ohne e, was ist das anderes als Oldeb rückwärts? Und dieser Mann erzählt mir, es sei ein Druckfehler.»

William Wilson

> What say of it? what say of conscience grim,
> That spectre in my path?
>
> Chamberlayne's *Pharronida*

Let me call myself, for the present, William Wilson. The fair page now lying before me need not be sullied with my real appellation. This has been already too much an object for the scorn – for the horror – for the detestation of my race. To the uttermost regions of the globe have not the indignant winds bruited its unparalleled infamy? Oh, outcast of all outcasts most abandoned! – to the earth art thou not forever dead? to its honours, to its flowers, to its golden aspirations? – and a cloud, dense, dismal, and limitless, does it not hang eternally between thy hopes and heaven?

I would not, if I could, here or to-day, embody a record of my later years of unspeakable misery, and unpardonable crime. This epoch – these later years – took unto themselves a sudden elevation in turpitude, whose origin alone it is my present purpose to assign. Men usually grow base by degrees. From me, in an instant, all virtue dropped bodily as a mantle. From comparatively trivial wickedness I passed, with the stride of a giant, into more than the enormities of an Elah-Gabalus. What chance – what one event brought this evil thing to pass, bear with me while I relate.

Death
approaches; and the shadow which foreruns him has thrown a softening influence over my spirit. I long, in passing through the dim valley, for the sympathy – I had nearly said for the pity – of my fellow-men. I would fain have them believe
60 that I have been, in some measure, the slave of
61 circumstances beyond human control. I would wish

William Wilson

> Was ist davon zu sagen? Was ist zu sagen vom grimmigen Gewissen, dieser geisterhaften Erscheinung auf meinem Pfad? Chamberlayne, «Pharronida»

Lassen Sie mich für den Augenblick William Wilson heißen. Das reine Blatt Papier vor mir braucht nicht mit meinem wahren Namen befleckt zu werden. Der ist schon viel zu sehr Gegenstand der Verachtung – des Entsetzens – des Abscheus meines Geschlechtes gewesen. Haben nicht die empörten Winde die Kunde seiner unvergleichlichen Schande in die entferntesten Gegenden der Welt getragen? O Verlassenster aller Ausgestoßenen! Bist du nicht auf immer tot für diese Erde? Für ihre Ehren, für ihre Blumen, für ihre goldenen Sehnsüchte? Und hängt nicht eine dichte, düstere, endlose Wolke in Ewigkeit zwischen deinen Hoffnungen und dem Himmel?

Selbst wenn ich könnte, würde ich hier und jetzt keinen Bericht über meine späteren Jahre niederschreiben, die voll von unsagbarem Elend und unverzeihlichem Verbrechen waren. In dieser Zeit – in diesen späteren Jahren – wurde plötzlich meine Schlechtigkeit groß, und nur deren Ursprung zu bestimmen ist gegenwärtig meine Absicht. Meist werden die Menschen nach und nach von Niedertracht ergriffen. Von mir aber fiel in einem Augenblick alle Rechtschaffenheit auf einmal ab wie ein Umhang. Von vergleichsweise geringer Sündhaftigkeit begab ich mich mit einem Riesenschritt in größere Ungeheuerlichkeiten als die eines Heliogabalus. Welcher Zufall, welches einzigartige Ereignis die schlimme Entwicklung verursachte – haben Sie Geduld mit mir, während ich es erzähle. Der Tod kommt näher; und der Schatten, der ihm vorausgeht, hat einen besänftigenden Einfluß auf mein Gemüt. Beim Durchschreiten des dunklen Tales, verlangt es mich nach der Gewogenheit – fast hätte ich gesagt: dem Mitleid – meiner Mitmenschen. Ich würde sie gern glauben machen, daß ich in gewissem Ausmaß der Sklave von Umständen war, die sich menschlicher Beherrschung ent-

them to seek out for me, in the details I am about to give, some little oasis of *fatality* amid a wilderness of error. I would have them allow – what they cannot refrain from allowing – that although temptation may have erewhile existed as great, man was never *thus*, at least, tempted before – certainly, *never thus* fell. And is it therefore that he has never thus suffered? Have I not indeed been living in a dream? And am I not now dying a victim to the horror and the mystery of the wildest of all sublunary visions?

I am the descendant of a race whose imaginative and easily excitable temperament has at all times rendered them remarkable; and, in my earliest infancy, I gave evidence of having fully inherited the family character. As I advanced in years it was more strongly developed; becoming, for many reasons, a cause of serious disquietude to my friends, and of positive injury to myself. I grew self-willed, addicted to the wildest caprices, and a prey to the most ungovernable passions. Weak-minded, and beset with constitutional infirmities akin to my own, my parents could do but little to check the evil propensities which distinguished me. Some feeble and ill-directed efforts resulted in complete failure on their part, and, of course, in total triumph on mine. Thenceforward my voice was a household law; and at an age when few children have abandoned their leading-strings, I was left to the guidance of my own will, and became, in all but name, the master of my own actions.

My earliest recollections of a school-life, are connected with a large, rambling, Elizabethan house, in a misty-looking village of England, where were a vast number of gigantic and gnarled trees, and where all the houses were excessively ancient. In truth, it was a dream-like and spirit-soothing place, that venerable old town. At this moment, in

ziehen. Ich wünschte mir, daß sie in den Einzelheiten, die ich mitteilen werde, eine kleine Oase von Schicksal in einer Wüste von Irrtum für mich ausfindig machen. Ich möchte, daß sie zugeben – was zuzugeben sie nicht umhinkönnen –, daß (wenn auch früher große Versuchungen dagewesen sein mögen) zumindest nie zuvor ein Mensch so versucht wurde – mit Sicherheit nie so zu Fall kam. Also auch nie so gelitten hat? Habe ich nicht wahrlich in einem Traum gelebt? Sterbe ich jetzt nicht als ein Opfer der wahnwitzigsten aller Erscheinungen unter der Sonne, als ein Opfer ihres Schreckens und ihrer Rätselhaftigkeit?

Ich bin der Abkömmling eines Geschlechtes, dessen phantasievolles und leicht erregbares Temperament es zu allen Zeiten Beachtung finden ließ; und schon in meiner frühesten Kindheit zeigte sich, daß ich den Familiencharakter ohne Einschränkung geerbt hatte. Als ich älter wurde, entwickelte er sich deutlicher und wurde aus vielen Gründen eine Ursache ernsthafter Besorgnis meiner Freunde und wirklichen Schadens für mich. Ich wurde eigensinnig, war den wildesten Launen unterworfen und den unbezähmbarsten Leidenschaften ausgeliefert. Meine nicht sehr charakterfesten, mit angeborenen – den meinen verwandten – Schwächen behafteten Eltern konnten nur wenig tun, um die schlimmen Neigungen zu unterbinden, die an mir auffielen. Einige kraftlose und unzureichende Versuche endeten mit einem völligen Mißerfolg ihrerseits und natürlich einem völligen Triumph meinerseits. Von da an galt in unserem Hause, was ich sagte; in einem Alter, in dem nur wenige Kinder dem Gängelband entwachsen sind, war ich der Herrschaft des eigenen Willens überlassen und wurde in allem, wenn auch nicht dem Namen nach, Herr meines eigenen Tuns.

Meine frühesten Erinnerungen an ein Schulleben verbinden sich mit einem großen, nach keinem erkennbaren Plan gebauten elisabethanischen Haus in einem nebelig aussehenden Dorf in England, in dem es eine große Anzahl riesiger, knorriger Bäume und lauter höchst altertümliche Häuser gab. Dieses ehrwürdige alte Städtchen war in der Tat ein traumartiger, das Gemüt beruhigender Ort. In meiner Phan-

fancy, I feel the refreshing chilliness of its deeply-shadowed avenues, inhale the fragrance of its thousand shrubberies, and thrill anew with undefinable delight, at the deep hollow note of the church-bell, breaking, each hour, with sullen and sudden roar, upon the stillness of the dusky atmosphere in which the fretted Gothic steeple lay imbedded and asleep.

It gives me, perhaps, as much of pleasure as I can now in any manner experience, to dwell upon minute recollections of the school and its concerns. Steeped in misery as I am – misery, alas! only too real – I shall be pardoned for seeking relief, however slight and temporary, in the weakness of a few rambling details.

These, moreover, utterly trivial, and even ridiculous in themselves, assume, to my fancy, adventitious importance, as connected with a period and a locality when and where I recognize the first ambiguous monitions of the destiny which afterwards so fully overshadowed me. Let me then remember.

The house, I have said, was old and irregular. The grounds were extensive, and a high and solid brick wall, topped with a bed of mortar and broken glass, encompassed the whole. This prison-like rampart formed the limit of our domain; beyond it we saw but thrice a week – once every Saturday afternoon, when, attended by two ushers, we were permitted to take brief walks in a body through some of the neighbouring fields – and twice during Sunday, when we were paraded in the same formal manner to the morning and evening service in the one church of the village. Of this church the principal of our school was pastor. With how deep a spirit of wonder and perplexity was I wont to regard him from our remote pew in the gallery, as, with step solemn and slow, he ascended the pul-

tasie kann ich selbst in diesem Augenblick die erfrischende Kühle seiner tief verschatteten Alleen empfinden, den Duft seiner tausend Sträucher einatmen und wieder in unerklärlichem Entzücken erschauern beim tiefen, hohlen Klang der Kirchenglocke, die jede Stunde mit dumpfem, plötzlichen Lärmen über die Stille der verhangenen Atmosphäre hereinbrach, in die der verzierte gotische Turm schlafend eingebettet lag.

Es bereitet mir vielleicht so viel Vergnügen, wie ich jetzt überhaupt empfinden kann, bei genauen Erinnerungen an die Schule und ihre Belange zu verweilen. In Elend versunken, wie ich es bin – ach, in ein nur zu wirkliches Elend –, werde ich Vergebung finden dafür, daß ich so schwach bin, in ein paar weitschweifigen Einzelheiten Erleichterung zu suchen – mag diese auch geringfügig und von kurzer Dauer sein. Obwohl sie völlig belanglos und für sich genommen sogar lächerlich sind, gewinnen diese Einzelheiten in meiner Phantasie eine zusätzliche Bedeutung, weil sie mit einem Zeitraum und einer Örtlichkeit verbunden sind, in denen ich die ersten unklaren Hinweise auf das Schicksal erkenne, das später mein Leben so vollständig verdunkelte. Lassen Sie mich also meinen Erinnerungen nachhängen.

Das Haus, sagte ich, war alt und unregelmäßig gebaut. Das Grundstück war ausgedehnt, und alles wurde umgeben von einer hohen, dicken Ziegelmauer, auf der sich eine Schicht Mörtel mit Glasscherben befand. Diese gefängnisartige Befestigung bildete die Grenze unseres Bereiches; nur dreimal in der Woche sahen wir, was sich jenseits davon befand – einmal jeden Sonnabendnachmittag, wenn wir, von zwei Lehrern beaufsichtigt, in geschlossenem Verband kurze Spaziergänge durch die benachbarten Felder machen durften – und zweimal am Sonntag, wenn wir in gleicher Ordnung zum morgendlichen und abendlichen Gottesdienst in der einzigen Kirche des Dorfes marschierten. Der Pastor dieser Kirche war der Rektor unserer Schule. Mit welch tiefer Verwunderung und Verwirrung betrachtete ich ihn von unserer entfernten Sitzbank auf der Empore, wenn er mit feierlichem, langsamem Schritt zur Kanzel hinaufstieg!

pit! This reverend man, with countenance so demurely benign, with robes so glossy and so clerically flowing, with wig so minutely powdered, so rigid and so vast, – could this be he who, of late, with sour visage, and in snuffy habiliments, administered, ferule in hand, the Draconian laws of the academy? Oh, gigantic paradox, too utterly monstrous for solution!

At an angle of the ponderous wall frowned a more ponderous gate. It was riveted and studded with iron bolts, and surmounted with jagged iron spikes. What impressions of deep awe did it inspire! It was never opened save for the three periodical egressions and ingressions already mentioned; then, in every creak of its mighty hinges, we found a plenitude of mystery – a world of matter for solemn remark, or for more solemn meditation.

The extensive enclosure was irregular in form, having many capacious recesses. Of these, three or four of the largest constituted the play-ground. It was leve, and covered with fine hard gravel. I well remember it had no trees, nor benches, nor anything similar within it. Of course it was in the rear of the house. In front lay a small parterre, planted with box and other shrubs; but through this sacred division we passed only upon rare occasions indeed – such as a first advent to school or final departure thence, or perhaps, when a parent or friend having called for us, we joyfully took our way home for the Christmans or Midsummer holidays.

But the house! – how quaint an old building was this! – to me how veritably a place of enchantment! There was really no end to its windings – to its incomprehensible subdivisions. It was difficult at any given time, to say with certainty upon which of its two storeys one happened to be. From each room to every other there were sure to be found three or four steps either in ascent or descent. Then

Dieser ehrwürdige Mann mit dem ernsten, gütigen Gesicht, den glänzenden, priesterlich wallenden Gewändern, der so sorgfältig gepuderten, steifen, riesigen Perücke – konnte das derselbe sein, der vor kurzem mit säuerlicher Miene und in einer Kleidung, die von Schnupftabak beschmutzt war, mit dem Lineal in der Hand die drakonischen Gesetze der Anstalt ausgeführt hatte? O welch gewaltiger Widerspruch, zu ungeheuerlich, als daß man ihn auflösen konnte!

In einer Ecke der massigen Mauer befand sich drohend ein noch massigeres Tor. Es war mit eisernen Bolzen vernietet und beschlagen und mit spitzen Eisenzacken gekrönt. Welch tiefe, ehrfürchtige Scheu erweckte es! Es wurde nie geöffnet, außer wenn wir zu den drei schon erwähnten Gelegenheiten hinaus- und hineingingen; dann entdeckten wir in jedem Quietschen seiner mächtigen Angeln eine Fülle an Geheimnis – endlosen Stoff für feierliche Bemerkungen oder noch feierlicheres Nachdenken!

Das weitläufige Grundstück war unregelmäßig in der Form und hatte deshalb viele geräumige Winkel. Drei oder vier der größten bildeten den Schulhof. Er war eben und mit feinem harten Kies bedeckt. Ich kann mich gut erinnern, daß er weder Bäume noch Bänke noch sonst etwas derartiges aufwies. Selbstverständlich lag er hinter dem Haus. Vor dem Haus war ein Ziergärtchen, das mit Buchs und anderen Sträuchern bepflanzt war; aber durch diesen geheiligten Bereich gingen wir nur bei seltenen Gelegenheiten – etwa wenn wir zum ersten Mal die Schule betraten oder sie zum letzten Mal verließen oder vielleicht, wenn ein Elternteil oder Freund uns abholte und wir uns freudig auf den Weg nach Hause machten, in die Weihnachts- oder die Sommerferien.

Aber das Haus! – Was war es für ein sonderbar altes Gebäude! – Und was für ein wahrhaft verzauberter Palast für mich! Seine Windungen und unverständlichen Unterteilungen nahmen überhaupt kein Ende! Es war zu jeder Zeit schwierig, mit Sicherheit zu sagen, auf welchem der beiden Stockwerke man sich gerade befand. Von jedem Raum führten bestimmt drei oder vier Stufen entweder hinauf oder hinab in den nächsten. Zudem waren die seitlichen Gebäude-

the lateral branches were innumerable – inconceivable – and so returning in upon themselves, that our most exact ideas in regard to the whole mansion were not very far different from those with which we pondered upon infinity. During the five years of my residence here, I was never able to ascertain with precision, in what remote locality lay the little sleeping apartment assigned to myself and some eighteen or twenty other scholars.

The school-room was the largest in the house – I could not help thinking, in the world. It was very long, narrow, and dismally low, with pointed Gothic windows and a ceiling of oak. In a remote and terror-inspiring angle was a square enclosure of eight or ten feet, comprising the *sanctum*, "during hours," of our principal, the Reverend Dr Bransby. It was a solid structure, with massy door, sooner than open which in the absence of the "Dominie," we would all have willingly perished by the *peine forte et dure*. In other angles were two other similar boxes, far less reverenced, indeed, but still greatly matters of awe. One of these was the pulpit of the "classical" usher, one of the "English and mathematical". Interspersed about the room, crossing and recrossing in endless irregularity, were innumerable benches and desks, black, ancient, and time-worn, piled desperately with much-bethumbed books, and so beseamed with initial letters, names at full length, grotesque figures, and other multiplied efforts of the knife, as to have entirely lost what little of original form might have been their portion in days long departed. A huge bucket with water stood at one extremity of the room, and a clock of stupendous dimensions at the other.

Encompassed by the massy walls of this venerable academy, I passed, yet not in tedium or disgust, the years of the third lustrum of my life. The

teile nicht zu zählen – nicht zu begreifen – und so in sich verschlungen, daß unsere genauesten Vorstellungen hinsichtlich des ganzen Gebäudes sich nicht sehr von denen unterschieden, mit denen wir über die Ewigkeit nachdachten.

Während der ersten fünf Jahre meines Aufenthaltes gelang es mir nie, zweifelsfrei festzustellen, an welchem entfernten Ort der kleine Schlafraum lag, der mir und etwa achtzehn oder zwanzig weiteren Schülern zugewiesen war.

Der Unterrichtsraum war der größte im Haus – ich konnte nicht anders, als ihn für den größten der Welt zu halten. Er war sehr lang, schmal und bedrückend niedrig, mit spitzen gotischen Fenstern und einer Decke aus Eichenholz. In einer entfernten, Schrecken verbreitenden Ecke befand sich eine quadratische Einfriedung von acht oder zehn Fuß Länge, die während des Unterrichtes das Heiligtum unseres Rektors, des Pastors Dr. Bransby, umschloß. Es handelte sich um eine solide Konstruktion mit einer schweren Tür; bevor wir diese in der Abwesenheit des «Dominus» geöffnet hätten, wären wir lieber bereitwillig durch die härteste Strafe zugrunde gegangen. In anderen Ecken gab es zwei weitere, ähnliche Quadrate, denen zwar weitaus weniger Ehrerbietung zuteil wurde, die aber doch Gegenstand ehrfürchtiger Scheu waren. Das eine war das Katheder des Lehrers für alte Sprachen, das andere das Katheder des Lehrers für Englisch und Mathematik. Zahllose Bänke und Pulte waren kreuz und quer in endloser Unregelmäßigkeit im ganzen Raum verstreut: schwarz, alt, abgenutzt, mit Stapeln zerlesener Bücher verzweifelt hoch beladen und mit so vielen Kerben von Anfangsbuchstaben, Namen in voller Länge, grotesken Figuren und zahlreichen anderen Bemühungen des Schnitzmessers versehen, daß sie schon vor langer Zeit ihren kleinen Anteil an ursprünglicher Formgebung verloren hatten. An einem Ende des Raumes stand ein riesiger Eimer mit Wasser und am anderen eine Uhr von gewaltigen Ausmaßen.

Umgeben von den ehrwürdigen Mauern dieser Anstalt verbrachte ich das dritte Jahrfünft meines Lebens, und zwar ohne Langeweile oder Widerwillen. Der übervolle Kopf eines

teeming brain of childhood requires no external world of incident to occupy or amuse it; and the apparently dismal monotony of a school was replete with more intense excitement than my riper youth has derived from luxury, or my full manhood from crime. Yet I must believe that my first mental development had in it much of the uncommon – even much of the *outré*. Upon mankind at large the events of very early existence rarely leave in mature age any definite impression. All is grey shadow – a weak and irregular remembrance – an indistinct regathering of feeble pleasures and phantasmagoric pains. With me this is not so. In childhood I must have felt with the energy of a man what I now find stamped upon memory in lines as vivid, as deep, and as durable as the *exergues* of the Carthaginian medals.

Yet in fact – in the fact of the world's view – how litte was there to remember! The morning's awakening, the nightly summons to bed; the connings, the recitations; the periodical half-holidays, and perambulations; the play-ground, with its broils, its pastimes, its intrigues; – these, by a mental sorcery long forgotten, were made to involve a wilderness of sensation, a world of rich incident, a universe of varied emotion, of excitement the most passionate and spirit-stirring. *"Oh, le bon temps, que ce siècle de fer!"*

In truth, the ardour, the enthusiasm, and the imperiousness of my disposition, soon rendered me a marked character among my schoolmates, and by slow, but natural gradations, gave me an ascendancy over all not greatly older than myself; – over all with a single exception. This exception was found in the person of a scholar, who, although no relation, bore the same Christian and surname as myself; – a circumstance, in fact, little remarkable; for, notwithstanding a noble descent, mine was one

Kindes braucht keine äußere Welt, um sich zu beschäftigen oder zu vergnügen; und die scheinbar bedrückende Eintönigkeit einer Schule war mit stärkeren Reizen angefüllt, als ich sie in meiner späteren Jugend dem Luxus abgewinnen konnte oder im Mannesalter dem Verbrechen. Doch muß ich glauben, daß meine erste geistige Entwicklung viel Ungewöhnliches in sich hatte – sogar viel Überspanntes. Die meisten Menschen haben, wenn sie erwachsen sind, keinen deutlichen Eindruck mehr von den Ereignissen der frühen Kindheit. Es gibt nur grauen Nebel – eine blasse und lückenhafte Erinnerung – ein undeutliches Wiederkehren schwachen Vergnügens und eingebildeten Schmerzes. Bei mir ist das nicht so. Ich muß in meiner Kindheit mit der Kraft eines Mannes empfunden haben, was ich jetzt in meinem Gedächtnis eingeprägt finde – so klar und scharf und dauerhaft wie das Relief auf einer kathargischen Münze.

Doch wie wenig gab es in Wirklichkeit zu erinnern – wenn es um das geht, was nach Meinung der Welt Wirklichkeit ist! Am Morgen geweckt zu werden, am Abend ins Bett geschickt zu werden; die Lern- und Übungsstunden; die regelmäßig wiederkehrenden freien Nachmittage und die Spaziergänge; der Schulhof mit seinen Kämpfen, seinen Vergnügungen, seinen Ränkespielen – dies alles enthielt dank einer Zauberkraft des Geistes, die danach in Vergessenheit gerät, eine Vielzahl von Empfindungen, eine Fülle reichen Geschehens, eine Welt der verschiedenartigsten Gefühle und der leidenschaftlichsten, das Gemüt aufwühlenden Erregung. «Ach, wie schön ist dieses eiserne Zeitalter!»

In der Tat machten der glühende Eifer, die Begeisterungsfähigkeit und das Gebieterische meines Wesens mich bald zu einer auffallenden Figur unter meinen Kameraden und verschafften mir in einer langsamen, aber natürlichen Entwicklung Überlegenheit über alle, die nicht sehr viel älter waren als ich – mit einer einzigen Ausnahme. Diese Ausnahme bestand in der Person eines Schülers, der, obwohl nicht mit mir verwandt, denselben Vor- und Nachnamen trug wie ich – ein wirklich kaum bemerkenswerter Umstand, denn trotz edler Abstammung hatte ich einen jener alltäg-

of those every-day appellations which seem, by prescriptive right, to have been, time out of mind, the common property of the mob. In this narrative I have therefore designated myself as William Wilson, – a fictitious title not very dissimilar to the real. My namesake alone, of those who in school phraseology constituted "our set," presumed to compete with me in the studies of the class – in the sports and broils of the play-ground – to refuse implicit belief in my assertions, and submission to my will – indeed, to interfere with my arbitrary dictation in any respect whatsoever. If there is on earth a supreme and unqualified despotism, it is the despotism of a master mind in boyhood over the less energetic spirits of its companions.

Wilson's rebellion was to me a source of the greatest embarrassment; – the more so as, in spite of the bravado with which in public I made a point of treating him and his pretensions, I secretly felt that I feared him, and could not help thinking the equality which he maintained so easily with myself, a proof of his true superiority; since not to be overcome cost me a perpetual struggle. Yet this superiority – even this equality – was in truth acknowledged by no one but myself; our associates, by some unaccountable blindness, seemed not even to suspect it. Indeed, his competition, his resistance, and especially his impertinent and dogged interference with my purposes, were not more pointed than private. He appeared to be destitute alike of the ambition which urged, and of the passionate energy of mind which enabled me to excel. In his rivalry he might have been supposed actuated solely by a whimsical desire to thwart, astonish, or mortify myself; although there were times when I colud not help observing, with a feeling made up of wonder, abasement, and pique, that he mingled with his injuries, his insults, or his contra-

lichen Namen, die nach herkömmlichem Gesetz seit undenklichen Zeiten allgemeiner Besitz der Menge zu sein scheinen. In dieser Erzählung heiße ich deshalb William Wilson – eine erfundene Benennung, die aber der wirklichen nicht ganz unähnlich ist. Von denjenigen, die in unserer Schulsprache unsere «Gruppe» bildeten, wagte es einzig mein Namensvetter, im Unterricht und bei den Spielen und Raufereien auf dem Schulhof mit mir zu wetteifern – meinen Behauptungen nicht blindlings Glauben zu schenken und sich meinem Willen nicht zu unterwerfen – sich tatsächlich meiner Willkürherrschaft in jeder Hinsicht zu widersetzen. Wenn es auf Erden eine äußerste, durch nichts eingeschränkte Form der Tyrannei gibt, so ist es die Tyrannei des führenden Kopfes einer Jungengruppe über die weniger energiegeladenen Gemüter seiner Kameraden.

Wilsons Widerstand war für mich eine Quelle größter Verlegenheit, um so mehr, als ich trotz des Mutes, mit dem ich ihm und seinen Anmaßungen in der Öffentlichkeit bewußt entgegentrat, insgeheim wußte, daß ich Angst vor ihm hatte, und die Gleichstellung mit mir, die er so mühelos aufrechterhielt, für nichts anderes als einen Beweis seiner wahren Überlegenheit halten mußte; denn mich kostete es einen ständigen Kampf, nicht überwunden zu werden. Doch diese Überlegenheit – selbst diese Gleichstellung – wurde in Wahrheit nur von mir anerkannt; unsere Gefährten schienen sie in unerklärlicher Blindheit nicht einmal zu ahnen. In der Tat waren sein Wetteifern, sein Widerstand und vor allem seine unverschämten und hartnäckigen Einmischungen in meine Absichten eher unauffällig als offensichtlich. Anscheinend fehlte ihm der Ehrgeiz, der mich dazu drängte, mich vor anderen hervorzutun, sowie gleichermaßen die leidenschaftliche Energie des Geistes, die mich dazu befähigte. Es ließe sich vermuten, daß einzig ein launisches Verlangen, mir entgegenzuarbeiten, mich in Erstaunen zu setzen oder zu demütigen, ihn zum Wettbewerb anstachelte; obgleich es Zeiten gab, in denen ich nicht umhin konnte, mit einer Mischung aus Verwunderung, Erniedrigung und Groll festzustellen, daß seine Verletzungen, Kränkungen oder Wider-

dictions, a certain most inappropriate, and assuredly most unwelcome *affectionateness* of manner. I could only conceive this singular behaviour to arise from a consummate self-conceit assuming the vulgar air of patronage and protection.

Perhaps it was this latter trait in Wilson's conduct, conjoined with our identity of name, and the mere accident of our having entered the school upon the same day, which set afloat the notion that we were brothers, among the senior classes in the academy. These do not usually inquire with much strictness into the affairs of their juniors. I have before said, or should have said, that Wilson was not, in the most remote degree, connected with my family. But assuredly if we *had* been brothers we must have been twins; for, after leaving Dr Bransby's, I casually learned that my namesake was born on the nineteenth of January, 1813 – and this is a somewhat remarkable coincidence; for the day is precisely that of my own nativity.

It may seem strange that in spite of the continual anxiety occasioned me by the rivalry of Wilson, and his intolerable spirit of contradiction, I could not bring myself to hate him altogether. We had, to be sure, nearly every day a quarrel in which, yielding me publicly the palm of victory, he, in some manner, contrived to make me feel that it was he who had deserved it; yet a sense of pride on my part, and a veritable dignity on his own, kept us always upon what are called "speaking terms," where there were many points of strong congeniality in our tempers, operating to awake in me a sentiment which our position alone, perhaps, prevented from ripening into friendship. It is difficult, indeed, to define, or even to describe, my real feelings towards him. They formed a motley and heterogeneous admixture; – some petulant animosity, which was not yet hatred, some esteem, more

reden mit einer gewissen höchst unangebrachten und zweifellos höchst unwillkommenen Herzlichkeit einhergingen. Ich konnte mir nur denken, daß dieses sonderbare Verhalten einem vollendeten Dünkel entsprang, der sich geschmackloserweise ein gönnerhaftes, beschützendes Gebaren gab.

Vielleicht war es dieser Zug in Wilsons Betragen – in Verbindung mit der Namensgleichheit und dem schieren Zufall, daß wir am selben Tag in die Schule eingetreten waren –, der in den höheren Klassen der Anstalt die Meinung aufkommen ließ, wir seien Brüder. Die Älteren erkundigen sich normalerweise nicht sehr genau nach den Angelegenheiten der Jüngeren. Ich habe schon gesagt – oder sollte es gesagt haben –, daß Wilson nicht im entferntesten mit meiner Familie verwandt war. Aber wenn wir Brüder gewesen wären, hätten wir wahrlich Zwillinge sein müssen; denn nachdem ich Dr. Bransbys Anstalt verlassen hatte, erfuhr ich zufällig, daß mein Namensvetter am neunzehnten Januar 1813 geboren worden war – und das ist ein recht bemerkenswertes Zusammentreffen, denn genau an diesem Tag bin auch ich zur Welt gekommen.

Es mag seltsam scheinen, daß trotz der ständigen Angst, die Wilsons Rivalität in mir weckte, und trotz seines nicht zu ertragenden Widerspruchsgeistes ich es nicht über mich brachte, ihn wirklich zu hassen. Wir hatten sicherlich fast jeden Tag einen Streit miteinander, in dem er mir nach außen hin die Siegespalme überließ, aber es irgendwie bewerkstelligte, mir den Eindruck zu vermitteln, daß er es war, der sie verdient hatte.

Doch ein Gefühl des Stolzes auf meiner Seite und wahre Größe auf seiner ließen uns immer «im Gespräch miteinander bleiben», wie es heißt; während unsere Charaktere in vielen Punkten sehr stark übereinstimmten, was in mir eine Empfindung hervorrief, die sich vielleicht nur aufgrund unserer Lage nicht zu einem freundschaftlichen Gefühl entwickelte. Es ist in der Tat schwierig, meine wahren Gefühle ihm gegenüber zu bestimmen oder auch nur zu beschreiben. Sie ergaben eine bunte, uneinheitliche Mischung: ein wenig gereizte Feindseligkeit, die noch

respect, much fear, with a world of uneasy curiosity. To the moralist it will be unnecessary to say, in addition, that Wilson and myself were the most inseparable of companions.

It was no doubt the anomalous state of affairs existing between us, which turned all my attacks upon him (and they were many, either open or covert) into the channel of banter or practical joke (giving pain while assuming the aspect of mere fun) rather than into a more serious and determined hostility. But my endeavours on this head were by no means uniformly successful, even when my plans were the most wittily concocted; for my namesake had much about him, in character, of that unassuming and quiet austerity which, while enjoying the poignancy of its own jokes, has no heel of Achilles in itself, and absolutely refuses to be laughed at. I could find, indeed, but one vulnerable point, and that, lying in a personal peculiarity, arising, perhaps, from constitutional disease, would have been spared by any antagonist less at his wit's end than myself – my rival had a weakness in the faucial or guttural organs, which precluded him from raising his voice at any time *above a very low whisper*. Of this defect I did not fail to take what poor advantage lay in my power.

Wilson's retaliations in kind were many; and there was one form of his practical wit that disturbed me beyond measure. How his sagacity first discovered at all that so petty a thing would vex me, is a question I never could solve; but, having discovered, he habitually practised the annoyance. I had always felt aversion to my uncourtly patronymic, and its very common, if not plebeian prænomen. The words were venom in my ears; and when, upon the day of my arrival, a second William Wilson came also to the academy, I felt angry with him for bearing the name, and doubly

kein Haß war; ein wenig Achtung; ein wenig mehr Respekt; viel Furcht; und sehr viel unbehagliche Neugier. Ich brauche für den Moralisten kaum hinzuzufügen, daß Wilson und ich die unzertrennlichsten Gefährten waren.

Zweifellos war es der anomale Zustand, der zwischen uns herrschte, der all meinen Angriffen auf ihn (und das waren viele, offene und verdeckte) die Form von neckenden Hänseleien oder Streichen gab (die Schmerz zufügten, während sie Spaß vortäuschten), statt ernsthaftere und entschlossenere Formen der Feindseligkeit auszuprägen. Aber meine Bemühungen in diesem Punkt waren keineswegs gleichbleibend erfolgreich, obwohl meine Pläne äußerst geistreich ausgetüftelt waren; denn mein Namensvetter hatte in seinem Wesen viel von jenem bescheidenen und ruhigen Ernst, der – während er die Schärfe der eigenen Witze genießt – keine Achillesferse bietet und sich rundheraus weigert, sich auslachen zu lassen. Ich konnte wirklich nur einen einzigen verwundbaren Punkt entdecken, und der wäre, da er in einer persönlichen Eigenart bestand, die vielleicht auf ein körperliches Leiden zurückging, von jedem Gegner geschont worden, der weniger am Ende seiner Weisheit war als ich: Mein Rivale hatte eine Schwäche der Rachen- oder Halsorgane, die ihn beständig daran hinderte, seine Stimme zu mehr als einem sehr leisen Flüstern zu erheben. Ich versäumte nicht, aus diesem Gebrechen so viel armseligen Nutzen zu ziehen, wie ich konnte.

Wilsons Vergeltungsmaßnahmen waren vielfältig; und eine bestimmte Art seiner Streiche beunruhigte mich maßlos. Auf welche Weise er dank seiner Scharfsinnigkeit erstmals entdeckte, daß etwas so Unbedeutendes mich peinigen würde, ist eine Frage, die ich nie beantworten konnte; aber nachdem er es entdeckt hatte, machte er es sich zur Gewohnheit, mich damit zu ärgern.

Ich hatte immer einen Widerwillen gegen meinen wenig vornehmen Nachnamen und meinen gewöhnlichen, wenn nicht gar plebejischen Vornamen. Beide Worte waren Gift in meinen Ohren; und als am Tag meiner Ankunft noch ein zweiter William Wilson in die

disgusted with the name because a stranger bore it, who would be the cause of its two-fold repetition, who would be constantly in my presence, and whose concerns, in the ordinary routine of the school business, must inevitably, on account of the detestable coincidence, be often confounded with my own.

The feeling of vexation thus engendered grew stronger with every circumstance tending to show resemblance, moral or physical, between my rival and myself. I had not then discovered the remarkable fact that we were of the same age; but I saw that we were of the same height, and I perceived that we were even singularly alike in general contour of person and outline of feature. I was galled, too, by the rumour touching a relationship, which had grown current in the upper forms. In a word, nothing could more seriously disturb me (although I scrupulously concealed such disturbance), than any allusion to a similarity of mind, person, or condition existing between us. But, in truth, I had no reason to believe that (with the exception of the matter of relationship, and in the case of Wilson himself) this similarity had ever been made a subject of comment, or even observed at all by our schoolfellows. That *he* observed it in all its bearings, and as fixedly as I, was apparent; but that he could discover in such circumstances so fruitful a field of annoyance, can only be attributed, as I said before, to his more than usual penetration.

His cue, which was to perfect an imitation of myself, lay both in words and in actions; and most admirably did he play his part. My dress it was an easy matter to copy; my gait and general manner were, without difficulty, appropriated; in spite of his constitutional defect, even my voice did not escape him. My louder tones were, of course, unattempted, but then the key, it was identical;

Anstalt eintrat, war ich zornig auf ihn, weil er den Namen trug, und doppelt angewidert von dem Namen, weil ein Fremder ihn trug, der die Ursache seiner zweifachen Nennung sein würde, der ständig gegenwärtig sein würde und dessen Belange im normalen Ablauf der schulischen Dinge unausweichlich wegen der hassenswerten Übereinstimmung oft mit den meinen verwechselt werden würden.

Das dadurch hervorgerufene Gefühl der Pein wurde mit jedem Umstand stärker, der möglicherweise eine geistige oder körperliche Ähnlichkeit zwischen meinem Rivalen und mir aufzeigen konnte. Ich hatte damals noch nicht die bemerkenswerte Tatsache entdeckt, daß wir gleich alt waren; aber ich sah, daß wir gleich groß waren, und ich nahm wahr, daß wir sogar in den allgemeinen Umrissen der Gestalt und in den Konturen des Gesichtes bis ins Kleinste übereinstimmten. Auch plagte mich das Gerücht über unsere Verwandtschaft, das in den höheren Klassen in Umlauf war. Kurzum, nichts konnte mich ernsthafter beunruhigen (obgleich ich diese Unruhe sorgfältig verbarg) als irgendeine Anspielung auf Gleichartigkeiten des Geistes, der Gestalt oder der Veranlagung, die es zwischen uns gab. Aber in Wirklichkeit hatte ich keinen Grund zu der Annahme (mit Ausnahme der Frage der Verwandtschaft und was Wilson selbst betraf), daß diese Gleichartigkeit von unseren Mitschülern jemals beredet oder auch nur bemerkt worden wäre. Daß allerdings er sie in all ihren Ausprägungen bemerkte, und zwar ebenso unfehlbar wie ich, war offenkundig; aber daß er in diesen Umständen ein so fruchtbares Feld entdeckte, mich zu ärgern, kann nur, wie ich bereits sagte, seinem ungewöhnlichen Scharfblick zugeschrieben werden.

Wilsons Rolle – die darin bestand, mich immer vollkommener nachzuahmen – umfaßte sowohl die Redeweise als auch die Handlungsweise; und seine Darstellung war höchst bewundernswert. Meine Kleidung war einfach nachzumachen; meinen Gang und mein allgemeines Verhalten eignete er sich ohne Schwierigkeiten an, und trotz seines körperlichen Leidens entging ihm nicht einmal meine Stimme. Um meine lauteren Töne bemühte er sich natürlich nicht, doch

and his singular whisper, it grew the very echo of my own.

How greatly this most exquisite portraiture harassed me (for it could not justly be termed a caricature), I will not now venture to describe. I had but one consolation – in the fact that the imitation, apparently, was noticed by myself alone, and that I had to endure only the knowing and strangely sarcastic smiles of my namesake himself. Satisfied with having produced in my bosom the intended effect, he seemed to chuckle in secret over the sting he had inflicted, and was characteristically disregardful of the public applause which the success of his witty endeavours might have so easily elicited. That the school, indeed, did not feel his design, perceive its accomplishment, and participate in his sneer, was, for many anxious months, a riddle I could not resolve. Perhaps the *gradation* of his copy rendered it not so readily perceptible; or, more possibly, I owed my security to the masterly air of the copyist, who, disdaining the letter (which in a painting is all the obtuse can see), gave but the full spirit of his original for my individual contemplation and chagrin.

I have already more than once spoken of the disgusting air of patronage which he assumed toward me, and of his frequent officious interference with my will. This interference often took the ungracious character of advice; advice not openly given, but hinted or insinuated. I received it with a repugnance which gained strength as I grew in years.

Yet, at this distant day, let me do him the simple justice to acknowledge that I can recall no occasion when the suggestions of my rival were on the side of those errors or follies so usual to his immature age and seeming inexperience; that his moral sense, at least, if not his general talents and

die Tonlage war dieselbe wie bei mir; und sein seltsames Flüstern wurde zum Echo meines eigenen.

Wie sehr dieses ganz hervorragende Porträt mich quälte (denn Karikatur konnte man es gerechterweise nicht nennen), will ich jetzt nicht zu beschreiben wagen. Ich hatte nur den einen Trost, daß die Nachahmung offenbar von mir allein bemerkt wurde, daß nur ich selbst das wissende und sonderbar sarkastische Lächeln meines Namensvetters ertragen mußte. Zufrieden damit, daß er die beabsichtigte Wirkung in mir erzielt hatte, schien er heimlich in sich hineinzulachen über den Stich, den er mir versetzt hatte; bezeichnenderweise war ihm nicht an öffentlichem Beifall gelegen, den doch der Erfolg seiner witzigen Bemühungen so leicht hätte hervorlocken können. Daß die Schüler in der Tat seine Absicht nicht bemerkten, deren Vollendung nicht wahrnahmen und sein höhnisches Lächeln nicht teilten, war viele angstvolle Monate lang ein Rätsel für mich, das ich nicht zu lösen vermochte. Vielleicht war die Kopie dadurch, daß sie schrittweise entstand, nicht leicht erkennbar; oder, wahrscheinlicher, ich verdankte meine Sicherheit dem meisterlichen Stil des Kopisten, der – das Äußere verachtend, das alles ist, was die Stumpfsinnigen an einem Gemälde sehen – lediglich den Geist seines Originals vollständig wiedergab, mir persönlich zur Anschauung und zum Verdruß.

Ich habe bereits mehr als einmal von dem widerlich gönnerhaften Gehabe gesprochen, das Wilson mir gegenüber an den Tag legte, und von seiner häufigen aufdringlichen Beeinträchtigung meines Willens. Diese Beeinträchtigung nahm oft die unangenehme Form des Ratschlages an – eines nicht offen, sondern in Andeutungen oder Anspielungen gegebenen Ratschlages. Ich nahm ihn mit einem Widerwillen entgegen, der noch zunahm, als ich älter wurde. Doch möchte ich ihm nach so langer Zeit die schlichte Gerechtigkeit widerfahren lassen, anzuerkennen, daß ich mich an keinen Fall erinneren, in dem die Vorschläge meines Rivalen zu den Irrtümern und Narrheiten gehört hätten, die diesem unreifen Alter und dieser scheinbaren Unerfahrenheit eigen sind; daß zumindest sein moralisches Empfinden

worldly wisdom, was far keener than my own; and that I might, to-day, have been a better, and thus a happier man, had I less frequently rejected the counsels embodied in those meaning whispers which I then but too cordially hated and too bitterly despised.

As it was, I at length grew restive in the extreme under his distasteful supervision, and daily resented more and more openly what I considered his intolerable arrogance. I have said that, in the first years of our connection as schoolmates, my feelings in regard to him might have been easily ripened into friendship: but, in the latter months of my residence at the academy, although the intrusion of his ordinary manner had, beyond doubt, in some measure, abated, my sentiments, in nearly similar proportion, partook very much of positive hatred. Upon one occasion he saw this, I think, and afterwards avoided, or made a show of avoiding me.

It was about the same period, if I remember aright, that, in an altercation of violence with him, in which he was more than usually thrown off his guard, and spoke and acted with an openness of demeanour rather foreign to his nature, I discovered, or fancied I discovered, in his accent, his air, and general appearance, a something which first startled, and then deeply interested me, by bringing to mind dim visions of my earliest infancy – wild, confused, and thronging memories of a time when memory herself was yet unborn. I cannot better describe the sensation which oppressed me than by saying that I could with difficulty shake off the belief of my having been acquainted with the being who stood before me, at some epoch very long ago – some point of the past even infinitely remote. The delusion, however, faded rapidly as it came; and I mention it at all but to define the day

– wenn nicht seine Lebensklugheit und allgemeine Begabung – viel ausgeprägter war als meines; und daß ich vielleicht heute ein besserer und darum glücklicherer Mensch wäre, hätte ich die Empfehlungen weniger oft zurückgewiesen, die jenes bedeutungsvolle Flüstern beinhaltet hatte und die ich damals nur zu aufrichtig haßte und zu bitter verachtete.

Wie die Dinge standen, wurde ich schließlich äußerst störrisch unter seiner widerwärtigen Überwachung und verübelte ihm das, was ich für unerträgliche Arroganz hielt, von Tag zu Tag mehr und immer offener. Ich habe vorhin gesagt, daß in den ersten Jahren unserer Bekanntschaft in der Schule meine Empfindungen ihm gegenüber sich leicht zu einer Freundschaft hätten entwickeln können; doch obwohl in den letzten Monaten meines Aufenthaltes in der Anstalt die Zudringlichkeit seines Betragens zweifellos in gewisser Weise abgenommen hatte, waren meine Gefühle in fast ähnlichem Ausmaß zunehmend von regelrechtem Haß erfüllt. Ich glaube, daß er das bei einer bestimmten Gelegenheit bemerkte und mir danach aus dem Weg ging – oder doch diesen Eindruck erweckte.

Es war etwa zur selben Zeit, wenn ich mich recht erinnere, daß ich in einer heftigen Auseinandersetzung mit ihm – in der er weniger als sonst auf der Hut war und mit einer Offenheit im Auftreten sprach und handelte, die seiner Natur eigentlich fremd war – in seinem Tonfall, seinem Gebaren und seiner allgemeinen Erscheinung etwas entdeckte oder mir einbildete zu entdecken, was mich erst überraschte und dann völlig gefangennahm, weil es verschwommene Eindrücke meiner frühesten Kindheit wachrief – wilde, verworrene, bedrängende Erinnerungen an eine Zeit, in der das Gedächtnis selbst noch nicht geboren war. Ich kann das Gefühl, das mich überwältigte, nicht besser beschreiben, als wenn ich sage, daß ich nur mit Mühe die Überzeugung abschütteln konnte, das Wesen, das vor mir stand, in einer längst vergangenen Epoche gekannt zu haben – zu irgendeinem unendlich weit entfernten Zeitpunkt meiner Vergangenheit. Diese Einbildung schwand jedoch so rasch, wie sie gekommen war; und ich erwähne sie überhaupt nur, um den

of the last conversation I there held with my singular namesake.

The huge old house, with its countless subdivisions, had several large chambers communicating with each other, where slept the greater number of the students. There were, however (as must necessarily happen in a building so awkwardly planned), many little nooks or recesses, the odds and ends of the structure; and these the economic ingenuity of Dr Bransby had also fitted up as dormitories; although, being the merest closets, they were capable of accommodating but a single individual. One of these small apartments was occupied by Wilson.

One night, about the close of my fifth year at the school, and immediately after the altercation just mentioned, finding every one wrapped in sleep, I arose from bed, and, lamp in hand, stole through a wilderness of narrow passages from my own bedroom to that of my rival. I had long been plotting one of those ill-natured pieces of practical wit at his expense in which I had hitherto been so uniformly unsuccessful. It was my intention, now, to put my scheme in operation, and I resolved to make him feel the whole extent of the malice with which I was imbued. Having reached his closet, I noiselessly entered, leaving the lamp, with a shade over it, on the outside. I advanced a step, and listened to the sound of his tranquil breathing. Assured of his being asleep, I returned, took the light, and with it again approached the bed. Close curtains were around it, which, in the prosecution of my plan, I slowly and quietly withdrew, when the bright rays fell vividly upon the sleeper, and my eyes, at the same moment, upon his countenance. I looked; – and a numbness, an iciness of feeling instantly pervaded my frame. My breast heaved, my knees tottered, my whole spirit became possessed with an objectless yet intolerable horror. Gasping

Tag zu bezeichnen, an dem ich dort die letzte Unterhaltung
mit meinem sonderbaren Namensvetter hatte.

Das riesige alte Haus mit seinen zahllosen Unterabtei-
lungen hatte mehrere geräumige miteinander verbundene
Zimmer, in denen die größere Anzahl der Schüler schlief.
Es gab jedoch (wie es unvermeidlich ist in einem so ungeschickt geplanten Gebäude) viele kleine Ecken und Winkel, die Überbleibsel der Konstruktion; und diese hatte
Dr. Bransbys haushälterischer Einfallsreichtum ebenfalls als
Schlafräume hergerichtet, obgleich sich, da es winzige Kam-
mern waren, jeweils nur ein einzelner Mensch in ihnen unter-
bringen ließ. Einer dieser kleinen Räume wurde von Wilson
bewohnt.

Eines Nachts etwa gegen Ende meines fünften Jahres an
der Schule und unmittelbar nach der erwähnten Auseinandersetzung stand ich auf, als ich merkte, daß alle schliefen,
und stahl mich mit der Lampe in der Hand durch ein Gewirr
enger Gänge von meinem eigenen Schlafraum zu dem meines Rivalen. Ich hatte mir schon seit langem einen jener
bösen Streiche auf seine Kosten ausgedacht, mit denen ich
bis dahin regelmäßig erfolglos geblieben war. Nun hatte
ich die Absicht, meinen Plan auszuführen, und ich be-
schloß, Wilson das volle Ausmaß der Bosheit spüren zu lassen, die mich erfüllte.

Als ich seine Kammer erreicht hatte,
ging ich lautlos hinein und ließ die Lampe abgedunkelt draußen stehen. Ich trat einen Schritt vor und lauschte seinen
ruhigen Atemzügen. In der Gewißheit, daß er schlief,
ging ich zurück, holte das Licht und näherte mich mit ihm
wieder dem Bett. Dichte Vorhänge umgaben es, die ich,
meinem Plan entsprechend, langsam und ruhig zurückzog,
als der leuchtende Schein hell auf den Schlafenden fiel
und gleichzeitig der Blick meiner Augen auf sein Gesicht.
Ich schaute – und ein Gefühl der Betäubung, der Eiseskälte
durchzuckte sogleich meinen ganzen Körper. Meine Brust
hob sich, meine Knie wankten, ein nicht zu erklärendes,
doch unerträgliches Entsetzen ergriff Besitz von meiner Seele. Nach Atem ringend hielt ich die Lampe tiefer, noch

for breath, I lowered the lamp in still nearer proximity to the face. Were these – *these* the lineaments of William Wilson? I saw, indeed, that they were his, but I shook as if with a fit of the ague in fancying they were not. What *was* there about them to confound me in this manner? I gazed; – while my brain reeled with a multitude of incoherent thoughts. Not thus he appeared – assuredly not *thus* – in the vivacity of his waking hours. The same name! the same contour of person! the same day of arrival at the academy! And then his dogged and meaningless imitation of my gait, my voice, my habits, and my manner! Was it, in truth, within the bounds of human possibility, that *what I now saw* was the result, merely, of the habitual practice of this sarcastic imitation? Awestricken, and with a creeping shudder, I extinguished the lamp, passed silently from the chamber, and left, at once, the halls of that old academy, never to enter them again.

After a lapse of some months, spent at home in mere idleness, I found myself a student at Eton. The brief interval had been sufficient to enfeeble my remembrance of the events at Dr Bransby's, or at least to effect a material change in the nature of the feelings with which I remembered them. The truth – the tragedy – of the drama was no more. I could now find room to doubt the evidence of my senses; and seldom called up the subject at all but with wonder at the extent of human credulity, and a smile at the vivid force of the imagination which I hereditarily possessed.

Neither was this species of scepticism likely to be diminished by the character of the life I led at Eton. The vortex of thoughtless folly into which I there so immediately and so recklessly plunged, washed away all but the froth of my past hours, engulfed at once every solid or

näher an sein Gesicht. Waren denn dies wirklich die Gesichtszüge von William Wilson? Ich sah wohl, daß es seine waren, doch ich zitterte wie in einem Anfall von Schüttelfrost in der Vorstellung, daß sie es nicht waren. Was hatten sie nur an sich, daß ich dermaßen aus der Fassung geriet? Ich starrte ihn an – während sich mir vor einer Unzahl zusammenhangloser Gedanken der Kopf drehte. So sah er nicht aus – ganz gewiß nicht so –, wenn er wach und munter war. Derselbe Name! Dasselbe Äußere! Derselbe Tag der Ankunft in der Anstalt! Und dann seine hartnäckige und sinnlose Nachahmung meines Ganges, meiner Stimme, meiner Gewohnheiten und meines Betragens! Lag es denn wahrhaftig im Bereich des Menschenmöglichen, daß das, was ich jetzt sah, nur das Ergebnis der gewohnheitsmäßigen Ausführung dieser sarkastischen Nachahmung war? Ergriffen von einer ehrfürchtigen Scheu und von einem Schauder überlaufen, löschte ich die Lampe aus, ging leise aus dem Zimmer und verließ sogleich die Räume der alten Anstalt, um sie nie wieder zu betreten.

Nachdem einige Monate vergangen waren, die ich zu Hause mit bloßem Müßiggang verbracht hatte, fand ich mich als Student in Eton wieder. Der kurze Zeitabstand hatte genügt, um meine Erinnerung an die Ereignisse in Dr. Bransbys Anstalt schwächer werden zu lassen oder zumindest die Art meiner Gefühle gründlich zu wandeln, mit denen ich daran zurückdachte. Die Wahrheit – die Tragik – des Dramas gab es nicht mehr. Ich meinte nunmehr Grund zu haben, das Zeugnis meiner Sinne anzuzweifeln, und wenn ich mir das Thema überhaupt ins Gedächtnis rief, dann fast immer nur mit Verwunderung über das Ausmaß menschlicher Leichtgläubigkeit und mit einem Lächeln über die lebhafte Einbildungskraft, die mir als Erbe zuteil geworden war. Und es war nicht wahrscheinlich, daß diese Art Skeptizismus durch meine Lebensweise in Eton verringert werden würde. Der Strudel gedankenloser Torheit, in den ich so rasch und sorglos hineintauchte, spülte alles fort außer den Schaumschlägereien der gerade vergangenen Stunden, verschlang sofort jeden echten oder ernsthaften Eindruck und ließ nur

serious impression, and left to memory only the veriest levities of a former existence.

I do not wish, however, to trace the course of my miserable profligacy here – a profligacy which set at defiance the laws, while it eluded the vigilance of the institution. Three years of folly, passed without profit, had but given me rooted habits of vice, and added, in a somewhat unusual degree, to my bodily stature, when, after a week of soulless dissipation, I invited a small party of the most dissolute students to a secret carousal in my chambers. We met at a late hour of the night; for our debaucheries were to be faithfully protracted until morning. The wine flowed freely, and there were not wanting other and perhaps more dangerous seductions; so that the grey dawn had already faintly appeared in the east, while our delirious extravagance was at its heigth. Madly flushed with cards and intoxication, I was in the act of insisting upon a toast of more than wonted profanity, when my attention was suddenly diverted by the violent, although partial unclosing of the door of the apartment, and by the eager voice of a servant from without. He said that some person, apparently in great haste, demanded to speak with me in the hall.

Wildly excited with wine, the unexpected interruption rather delighted than surprised me. I staggered forward at once, and a few steps brought me to the vestibule of the building. In this low and small room there hung no lamp; and now no light at all was admitted, save that of the exceedingly feeble dawn which made its way through the semi-circular window. As I put my foot over the threshold, I became aware of the figure of a youth about my own height, and habited in a white kerseymere morning frock, cut in the novel fashion of the one I myself wore at the moment. This the faint light enabled me to perceive; but the fea-

die allergrößten Leichtfertigkeiten des früheren Lebens im Gedächtnis zurück.

Ich möchte hier jedoch nicht den Weg verfolgen, den meine erbärmliche Verderbtheit genommen hat – eine Verderbtheit, welche die Gesetze mißachtete und sich zugleich der Wachsamkeit der Institution entzog. Drei törichte, nutzlos vorübergegangene Jahre hatten nur das Laster zur festen Gewohnheit werden lassen und meiner körperlichen Gestalt in etwas unüblichem Ausmaß Gewicht gegeben, als ich nach einer Woche seelenloser Zerstreuungen eine kleine Gruppe der zügellosesten Studenten zu einem geheimen Zechgelage in meinen Räumen einlud. Wir trafen uns zu später Abendstunde; denn unsere Ausschweifungen sollten sich ausdrücklich bis zum Morgen hinziehen. Der Wein floß in Strömen, und es fehlte nicht an anderen, vielleicht gefährlicheren Verführungen, so daß die graue Morgendämmerung schon schwach im Osten sichtbar wurde, als sich unsere trunkene Maßlosigkeit auf ihrem Höhepunkt befand. Durch Kartenspiel und Alkoholrausch hochgradig erregt, wollte ich eben auf einem Trinkspruch von noch größerer Gottlosigkeit als gewohnt beharren, als meine Aufmerksamkeit plötzlich dadurch abgelenkt wurde, daß die Zimmertür heftig, wenngleich nur ein Stück weit geöffnet wurde und die eifrige Stimme eines Dieners von draußen zu hören war. Er sagte, daß jemand, der offenbar in großer Eile sei, in der Halle mit mir sprechen wolle.

Da ich durch den Wein in höchstem Grade angeregt war, rief die unerwartete Unterbrechung mehr Entzücken als Befremden in mir hervor. Sogleich machte ich mich torkelnd auf den Weg und stand nach ein paar Stufen in der Eingangshalle des Gebäudes. In diesem niedrigen, kleinen Raum hing keine Lampe; und zu diesem Zeitpunkt erhellte ihn nichts außer der ganz schwachen Morgendämmerung, die durch das halbrunde Fenster hereindrang. Als ich meinen Fuß über die Schwelle setzte, gewahrte ich die Gestalt eines jungen Mannes; er hatte ungefähr meine Größe und war mit einem weißen Morgenrock aus Kaschmir bekleidet, der denselben modischen Schnitt hatte wie der, den ich

tures of his face I could not distinguish. Upon my entering he strode hurriedly up to me, and, seizing me by the arm with a gesture of petulant impatience, whispered the words "William Wilson!" in my ear.

I grew perfectly sober in an instant.

There was that in the manner of the stranger, and in the tremulous shake of his uplifted finger, as he held it between my eyes and the light, which filled me with unqualified amazement; but it was not this which so violently moved me. It was the pregnancy of solemn admonition in the singular, low, hissing utterance; and, above all, it was the character, the tone, *the key*, of those few, simple, and familiar, yet *whispered* syllables, which came with a thousand thronging memories of by-gone days, and struck upon my soul with the shock of a galvanic battery. Ere I could recover the use of my senses he was gone.

Although this event failed not of a vivid effect upon my disordered imagination, yet was it evanescent as vivid. For some weeks, indeed, I busied myself in earnest inquiry, or was wrapped in a cloud of morbid speculation. I did not pretend to disguise from my perception the identity of the singular individual who thus perseveringly interfered with my affairs, and harassed me with his insinuated counsel. But who and what was this Wilson? – and whence came he? – and what were his purposes? Upon neither of these points could I be satisfied; merely ascertaining, in regard to him, that a sudden accident in his family had caused his removal from Dr Bransby's academy on the afternoon of the day in which I myself had eloped. But in a brief period I ceased to think upon the subject; my attention being all absorbed in a
90 contemplated departure for Oxford. Thither I soon
91 went; the uncalculating vanity of my parents furn-

gerade trug. So viel erlaubte mir das schwache Licht zu sehen; aber seine Gesichtszüge konnte ich nicht deutlich erkennen. Bei meinem Eintreten kam er rasch auf mich zu, ergriff mich mit einer Geste gereizter Ungeduld am Arm und flüsterte mir die Worte «William Wilson!» ins Ohr.

Augenblicklich war ich vollkommen nüchtern.

Im Benehmen des Fremden und im Zittern und Beben seines erhobenen Fingers, den er zwischen meine Augen und das Licht hielt, lag etwas, das mich mit einer unbestimmten Verwunderung erfüllte; aber das war es nicht, was mich so heftig bewegt hatte. Es war die Bedeutungsschwere der feierlichen Ermahnung in dieser seltsamen, leisen, gezischelten Äußerung; und vor allem war es die Beschaffenheit, die Klangfarbe, die Tonlage dieser wenigen, einfachen und vertrauten, aber eben geflüsterten Silben, die mich mit tausend Erinnerungen an vergangene Tage bedrängte und meine Seele traf wie der elektrische Schlag aus einer Batterie. Bevor ich meiner Sinne wieder mächtig war, hatte er sich entfernt.

Obwohl dieses Ereignis einen lebhaften Eindruck auf meine verwirrte Einbildungskraft nicht verfehlte, war er doch ebenso flüchtig wie lebhaft. Immerhin beschäftigte ich mich einige Wochen lang mit ernsthaften Nachforschungen oder hüllte mich in eine Wolke düsteren Nachsinnens. Ich gab nicht vor, mich über die Identität des seltsamen Wesens hinwegzutäuschen, das sich so beharrlich in meine Angelegenheiten mischte und mich mit seinem eingeflüsterten Ratschlag quälte. Aber wer und was war dieser Wilson? – Und woher kam er? – Und was waren seine Absichten? Auf keine dieser Fragen bekam ich eine befriedigende Antwort – ich erfuhr über ihn nur, daß ein unvorhergesehenes Ereignis in seiner Familie dazu geführt hatte, daß er aus Dr. Bransbys Anstalt genommen wurde am Nachmittag des Tages, an dem ich mich davongemacht hatte. Doch nach kurzer Zeit hörte ich auf, über das Thema nachzudenken, denn meine Aufmerksamkeit wurde völlig in Anspruch genommen von Plänen, nach Oxford aufzubrechen. Dorthin begab ich mich schon bald, und die gedankenlose Eitelkeit meiner Eltern versah mich mit einer Ausstattung und einer jähr-

ishing me with an outfit and annual establishment, which would enable me to indulge at will in the luxury already so dear to my heart, – to vie in profuseness of expenditure with the haughtiest heirs of the wealthiest earldoms in Great Britain.

Excited by such appliances to vice, my constitutional temperament broke forth with redoubled ardour, and I spurned even the common restraints of decency in the mad infatuation of my revels. But it were absurd to pause in the details of my extravagance.

Let it suffice, that among spendthrifts I out-Heroded Herod, and that, giving name to a multitude of novel follies, I added no brief appendix to the long catalogue of vices then usual in the most dissolute university of Europe.

It could hardly be credited, however, that I had, even here, so utterly fallen from the gentlemanly estate, as to seek acquaintance with the vilest arts of the gambler by profession, and, having become an adept in his despicable science, to practise it habitually as a means of increasing my already enormous income at the expense of the weak-minded among my fellow-collegians. Such, nevertheless, was the fact. And the very enormity of this offence against all manly and honourable sentiment proved, beyond doubt, the main if not the sole reason of the impunity with which it was committed. Who, indeed, among my most abandoned associates, would not rather have disputed the clearest evidence of his senses, than have suspected of such courses, the gay, the frank, the generous William Wilson – the noblest and most liberal commoner at Oxford – him whose follies (said his parasites) were but the follies of youth and unbridled fancy – whose errors but inimitable whim – whose darkest vice but a careless and dashing extravagance?

I had been now two years successfully busied in

92
93

lichen Zuwendung, die mir erlauben würden, nach Wunsch dem Luxus zu frönen, der meinem Herzen bereits so liebgeworden war, und in der verschwenderischen Höhe der Ausgaben mit den hochmütigsten Erben der reichsten Grafschaften Großbritanniens zu wetteifern.

Ermuntert durch diese Hilfsmittel des Lasters brach mein angeborenes Temperament mit doppelter Heftigkeit durch, und ich setzte mich in dem betörenden Wahn meiner Lustbarkeiten selbst über die allgemeinen Schranken des Anstandes hinweg. Aber es wäre absurd, bei den Einzelheiten meiner Überspanntheit zu verweilen. Mag es genügen, daß ich unter allen Verschwendern selbst Herodes noch übertraf und daß ich, indem ich einer Unzahl neuer Torheiten einen Namen gab, dem langen Katalog von Lastern, die damals an der zügellosesten Universität Europas üblich waren, einen nicht zu knappen Anhang hinzufügte.

Es konnte jedoch selbst hier kaum glaublich sein, daß ich jeder Vornehmheit so völlig abgeschworen hatte, daß ich mich mit den verabscheuungswürdigsten Künsten des berufsmäßigen Spielers vertraut machte, ein Schüler seiner verächtlichen Wissenschaft wurde und mir angewöhnte, sie einzusetzen, um mein ohnehin gewaltiges Einkommen auf Kosten meiner willensschwachen Mitstudenten zu vergrößern. Das war jedoch der Fall. Und gerade die Schwere dieses Verstoßes gegen jedes mannhafte, ehrenhafte Empfinden erwies sich zweifellos als der wichtigste, wenn nicht einzige Grund dafür, daß er straflos ausgeführt wurde. In der Tat: Wer unter meinen hemmungslosesten Gefährten hätte nicht lieber selbst das eindeutigste Zeugnis seiner Sinne angezweifelt, als den lebenslustigen, offenherzigen, freigebigen William Wilson solcher Methoden zu verdächtigen – den vornehmsten und großzügigsten Selbstversorger in Oxford – ihn, dessen Torheiten (sagten seine Kostgänger) nur die Torheiten der Jugend und der ungezügelten Phantasie – dessen Irrtümer nur unnachahmliche Laune – dessen finsterste Laster nur unbekümmerte und ungestüme Überspanntheit seien?

Ich hatte mich mittlerweile zwei Jahre erfolgreich auf

this way, when there came to the university a young *parvenu* nobleman, Glendinning – rich, said reports, as Herodes Atticus – his riches, too, as easily acquired. I soon found him of weak intellect, and, of course, marked him as a fitting subject for my skill. I frequently engaged him in play, and contrived, with the gambler's usual art, to let him win considerable sums, the more effectually to entangle him in my snares. At length, my schemes being ripe, I met him (with the full intention that this meeting should be final and decisive) at the chambers of a fellow-commoner (Mr Preston), equally intimate with both, but who, to do him justice, entertained not even a remote suspicion of my design.

To give to this a better colouring, I had contrived to have assembled a party of some eight or ten, and was solicitously careful that the introduction of cards should appear accidental, and originate in the proposal of my contemplated dupe himself. To be brief upon a vile topic, none of the low finesse was omitted, so customary upon similar occasions that it is a just matter for wonder how any are still found so besotted as to fall its victim.

We had protracted our sitting far into the night, and I had at length effected the manoeuvre of getting Glendinning as my sole antagonist. The game, too, was my favourite *écarté*. The rest of the company, interested in the extent of our play, had abandoned their own cards, and were standing around us as spectators. The *parvenu*, who had been induced by my artifices in the early part of the evening, to drink deeply, now shuffled, dealt, or played, with a wild nervousness of manner for which his intoxication, I thought, might partially, but could not altogether account. In a very short period he had become my debor to a large amount,

diese Weise beschäftigt, als ein junger Mann von neuem Adel an die Universität kam, Glendinning – angeblich so reich und so mühelos reich geworden wie Herodes Atticus. Ich entdeckte bald, daß er einen schwachen Verstand hatte, und bestimmte ihn natürlich zum geeigneten Objekt meiner Geschicklichkeit. Ich brachte ihn oft dazu, mit mir Karten zu spielen, und richtete es mit der gewohnten Kunst des Falschspielers so ein, daß er bedeutende Summen gewann, um ihn desto wirksamer in meine Schlingen hineinzuziehen. Als meine Pläne dann gereift waren, traf ich ihn (mit der festen Absicht, daß es das letzte und entscheidende Mal sein sollte) in den Räumen eines Mitstudenten, der ebenso wie ich für seinen Unterhalt selbst aufkam, Mr. Preston; er war mit uns beiden gleichermaßen befreundet, hatte aber – daß ich ihm Gerechtigkeit widerfahren lasse – nicht die geringste Ahnung von meinem Vorhaben. Um allem einen besseren Anstrich zu geben, hatte ich den Plan gefaßt, eine acht- oder zehnköpfige Gruppe zu versammeln, und war sorgsam darauf bedacht, daß die Einladung zum Kartenspiel als Zufall erschien und daß der Vorschlag von meinem ausersehenen Opfer selbst ausging. Um mich bei einem widerwärtigen Thema kurz zu fassen: Keine niederträchtige List wurde ausgelassen, was bei derartigen Gelegenheiten so üblich ist, daß man sich nur wundern kann, wie sich immer noch Dumme finden, die darauf hereinfallen.

Unsere Zusammenkunft hatte sich bis spät in den Abend hineingezogen, und es war mir schließlich gelungen, Glendinning zu meinem einzigen Gegenspieler zu machen. Auch war das Spiel das von mir bevorzugte Ecarté. Der Rest der Gesellschaft, am hohen Einsatz unseres Spiels interessiert, hatte die Karten beiseite gelegt und stand zuschauend um uns herum. Im Betragen des Neuen, den meine Kunstgriffe am früheren Abend dazu verführt hatten, viel zu trinken, zeigte sich nun – wenn er mischte, Karten ausgab oder spielte – eine wilde Nervosität, die sich meiner Meinung nach wohl zum Teil, aber doch nicht gänzlich auf seinen Rausch zurückführen ließ. In sehr kurzer Zeit schuldete er mir eine große Summe, als er nach einem langen Zug Port-

when, having taken a long draught of port, he did precisely what I had been coolly anticipating – he proposed to double our already extravagant stakes. With a well-feigned show of reluctance, and not until after my repeated refusal had seduced him into some angry words which gave a colour of *pique* to my compliance, did I finally comply. The result, of course, did but prove how entirely the prey was in my toils; in less than an hour he had quadrupled his debt. For some time his countenance had been losing the florid tinge lent it by the wine; but now, to my astonishment, I perceived that it had grown to a pallor truly fearful. I say to my astonishment. Glendinning had been represented to my eager inquiries as immeasurably wealthy; and the sums which he had as yet lost, although in themselves vast, could not, I supposed, very seriously annoy, much less so violently affect him. That he was overcome by the wine just swallowed, was the idea which most readily presented itself; and, rather with a view to the preservation of my own character in the eyes of my associates, than from any less interested motive, I was about to insist, peremptorily, upon a discontinuance of the play, when some expressions at my elbow from among the company, and an ejaculation evincing utter despair on the part of Glendinning, gave me to understand that I had effected his total ruin under circumstances which, rendering him an object for the pity of all, should have protected him form the ill offices even of a fiend.

What now might have been my conduct it is difficult to say. The pitiable condition of my dupe had thrown an air of embarrassed gloom over all; and, for some moments, a profound silence was maintained, during which I could not help feeling my cheeks tingle with the many burning glances of scorn or reproach cast upon me by the less aban-

wein genau das tat, was ich kühl vorausgesehen hatte: Er schlug vor, unseren bereits übertriebenen Einsatz zu verdoppeln. Mit gutgespieltem Widerstreben und erst, nachdem meine wiederholten Weigerungen ihn zu einigen aufgebrachten Worten veranlaßt hatten, die mir die Zornesröte ins Gesicht trieben, willigte ich am Ende ein. Das Ergebnis bewies natürlich nur, wie sehr ich die Beute im Netz hatte: In weniger als einer Stunde hatte er seine Schuld vervierfacht. Die rosige Farbe, die der Wein ihm verliehen hatte, war schon seit einiger Zeit aus seinem Gesicht geschwunden; aber jetzt sah ich zu meinem Erstaunen, daß es eine wahrhaft erschreckende Blässe angenommen hatte. Ich sage, zu meinem Erstaunen.

Glendinning war bei meinen eifrigen Erkundigungen als unermeßlich reich dargestellt worden; und die Summen, die er bisher verloren hatte, waren zwar für sich genommen sehr groß, konnten aber – so nahm ich an – ihm nicht ernstlich zu schaffen machen, noch viel weniger eine so heftige Wirkung ausüben. Daß der soeben getrunkene Wein ihn überwältigt hatte, war der nächstliegende Gedanke; und mehr im Hinblick darauf, meinen eigenen Ruf in den Augen meiner Gefährten zu wahren, als aus einem weniger selbstsüchtigen Motiv wollte ich mit Nachdruck auf einer Unterbrechung des Spiels bestehen, als einige Worte an meinem Ellbogen, die aus der Versammlung kamen, und ein Ausruf seitens Glendinnings, der äußerste Verzweiflung kundtat, mir zu verstehen gaben, daß ich seinen völligen Ruin bewirkt hatte – unter Umständen, die ihn zum Gegenstand des Mitleides aller machten und ihn vor den bösen Diensten selbst eines Teufels hätten bewahren sollen.

Wie ich mich nun hätte verhalten sollen, ist schwer zu sagen. Die jammervolle Lage meines Opfers hatte alle in eine verlegene, düstere Stimmung versetzt, und eine Weile lang herrschte tiefes Schweigen, während dessen ich nicht umhin konnte, ein Prickeln auf meinen Wangen zu spüren von den vielen brennenden, verachtungs- oder vorwurfsvollen Blikken, die mir von den weniger Hemmungslosen aus der

doned of the party. I will even own that an intolerable weight of anxiety was for a brief instant lifted from my bosom by the sudden and extraordinary interruption which ensued. The wide, heavy folding doors of the apartment were all at once thrown open, to their full extent, with a vigorous and rushing impetuosity that extinguished, as if by magic, every candle in the room. Their light, in dying, enabled us just to perceive that a stranger had entered, about my own height, and closely muffled in a cloak. The darkness, however, was now total; and we could only *feel* that he was standing in our midst. Before any one of us could recover from the extreme astonishment into which this rudeness had thrown all, we heard the voice of the intruder.

"Gentlemen," he said in a low, distinct, and never-to-be-forgotten *whisper* which thrilled to the very marrow of my bones, "Gentlemen, I make no apology for this behaviour, because in thus behaving, I am but fulfilling a duty. You are, beyond doubt, uninformed of the true character of the person who has to-night won at *écarté* a large sum of money from Lord Glendinning. I will therefore put you upon an expeditious and decisive plan of obtaining this very necessary information. Please to examine, at your leisure, the inner linings of the cuff of his left sleeve, and the several little packages which may be found in the somewhat capacious pockets of his embroidered morning wrapper."

While he spoke, so profound was the stillness that one might have heard a pin drop upon the floor. In ceasing, he departed at once, and as abruptly as he had entered. Can I – shall I describe my sensations? – must I say that I felt all the horrors of the damned? Most assuredly I had little time given for reflection. Many hands roughly seized me upon the spot, and lights were immediately re-procured. A search ensued. In the lining of

Gruppe zugeworfen wurden. Ich will sogar zugeben, daß mir einen kurzen Augenblick lang eine unerträglich schwere Last von der Seele genommen wurde dadurch, daß eine unerwartete, außergewöhnliche Störung erfolgte: Die großen, schweren Flügeltüren des Raumes öffneten sich auf einen Schlag, so weit es ging – mit einem kraftvollen, raschen Schwung, der wie durch Zauberei alle Kerzen im Raum ausblies. Ihr verlöschendes Licht ließ uns gerade noch erkennen, daß ein Fremder eingetreten war, der etwa meine Größe hatte und dicht in einen Umhang gehüllt war. Die Dunkelheit war jetzt jedoch vollkommen; wir konnten nur fühlen, daß er in unserer Mitte stand. Bevor einer von uns sich von dem äußersten Erstaunen erholen konnte, in das seine Unhöflichkeit uns versetzt hatte, hörten wir die Stimme des Eindringlings.

«Meine Herren», sagte er mit einem leisen, deutlichen und wahrhaft unvergeßlichen Flüstern, das mir durch Mark und Bein ging, «meine Herren, ich entschuldige mich nicht für mein Verhalten, denn mit diesem Verhalten erfülle ich nur eine Pflicht. Sie sind zweifellos nicht über den wahren Charakter der Person unterrichtet, die heute abend beim Ecarté eine große Summe Geldes von Lord Glendinning gewonnen hat.

Ich möchte Ihnen deshalb einen schnellen und schlüssigen Weg weisen, wie Sie diese sehr wichtige Information erhalten. Untersuchen Sie bitte in aller Ruhe das Innenfutter des linken Ärmelaufschlags und die verschiedenen kleinen Päckchen, welche sich in den recht geräumigen Taschen des bestickten Morgenrockes finden.»

Während er sprach, war das Schweigen so tief, daß man eine Nadel hätte zu Boden fallen hören können. Als er geendet hatte, entfernte er sich sogleich, und zwar ebenso schroff, wie er eingetreten war. Kann ich – soll ich meine Gefühle beschreiben? – Muß ich sagen, daß ich alle Schrecken der Verdammten empfand? Ganz ohne Zweifel hatte ich wenig Zeit zum Nachdenken. Viele Hände griffen auf der Stelle grob zu, und sofort wurde wieder für Licht gesorgt. Eine Suche folgte. Im Futter meines Ärmels wur-

my sleeve were found all the court cards essential in *écarté*, and, in the pockets of my wrapper, a number of packs, facsimiles of those used at our sittings, with the single exception that mine were of the species called, technically, *arrondées*; the honours being slightly convex at the ends, the lower cards slightly convex at the sides. In this disposition, the dupe who cuts, as customary, at the length of the pack, will invariably find that he cuts his antagonist an honour; while the gambler, cutting at the breadth, will, as certainly, cut nothing for his victim which may count in the records of the game.

Any burst of indignation upon this discovery would have affected me less than the silent contempt, or the sarcastic composure, with which it was received.

"Mr Wilson," said our host, stooping to remove from beneath his feet an exceedingly luxurious cloak of rare furs, "Mr Wilson, this is your property." (The weather was cold; and, upon quitting my own room, I had thrown a cloak over my dressing-wrapper, putting it off upon reaching the scene of play.) "I presume it is supererogatory to seek here" (eyeing the folds of the garment with a bitter smile) "for any farther evidence of your skill. Indeed, we have had enough. You will see the necessity, I hope, of quitting Oxford – at all events, of quitting instantly my chambers."

Abased, humbled to the dust as I then was, it is probable that I should have resented this galling language by immediate personal violence, had not my whole attention been at the moment arrested by a fact of the most startling character. The cloak which I had worn was of a rare description of fur; how rare, how extravagantly costly, I shall not venture to say. Its fashion, too, was of my own fantastic invention; for I was fastidious to an absurd degree of coxcombry, in matters of this frivol-

den alle Bildkarten gefunden, die beim Ecarté wichtig sind, und in den Taschen meines Rockes eine Anzahl Päckchen – Duplikate derer, die wir bei unseren Zusammenkünften benutzten, mit dem einzigen Unterschied, daß die meinen, technisch gesprochen, «abgerundet» waren, das heißt, die Bildkarten waren an den oberen Kanten leicht konvex, die niedrigeren Karten an den Seiten. Unter diesen Umständen wird das Opfer, das wie üblich die Karten der Länge nach abhebt, entdecken, daß es seinem Gegenspieler jedesmal eine Bildkarte abhebt; während der Falschspieler mit derselben Sicherheit dem Betrogenen nichts abheben wird, was ihm bei diesem Spiel Gewinn bringen könnte.

Jeder Ausbruch der Empörung angesichts dieses Fundes hätte mich weniger getroffen als die schweigende Verachtung oder die sarkastische Gelassenheit, mit der sie zur Kenntnis genommen wurde.

«Mr. Wilson», sagte unser Gastgeber, indem er sich bückte, um einen äußerst luxuriösen Umhang aus seltenen Fellen unter seinen Füßen hervorzuholen, «Mr. Wilson, dies ist Ihr Eigentum.» (Das Wetter war kalt; und als ich mein Zimmer verließ, hatte ich einen Umhang über meinen Morgenrock geworfen und ihn beim Erreichen des Schauplatzes abgelegt.) «Ich denke, es ist unnötig, hier (er musterte die Falten des Kleidungsstückes mit einem bitteren Lächeln) nach weiteren Beweisen Ihrer Geschicklichkeit zu suchen. Wir hatten ihrer wahrlich genug. Ich hoffe, Sie werden die Notwendigkeit einsehen, Oxford zu verlassen – jedenfalls unverzüglich meine Räume.»

Gedemütigt, in den Staub getreten, wie ich nun war, hätte ich wohl diese gallige Sprache so übel genommen, daß ich körperliche Gewalt angewendet hätte – wäre nicht meine ganze Aufmerksamkeit in diesem Augenblick von einer höchst befremdlichen Tatsache gefesselt worden. Der Umhang, den ich getragen hatte, war aus einer seltenen Pelzart gefertigt; wie selten, wie ungemein kostbar sie war, wage ich nicht zu sagen. Auch war der Schnitt die Erfindung meiner eigenen Phantasie; denn in diesen oberflächlichen Dingen war ich anspruchsvoll bis zu einem absurden Grad

ous nature. When, therefore, Mr Preston reached me that which he had picked up upon the floor, and near the folding doors of the apartment, it was with an astonishment nearly bordering upon terror, that I perceived my own already hanging on my arm (where I had no doubt unwittingly placed it), and that the one presented me was but its exact counterpart in every, in even the minutest possible particular. The singular being who had so disastrously exposed me, had been muffled, I remembered, in a cloak; and none had been worn at all by any of the members of our party with the exception of myself. Retaining some presence of mind, I took the one offered me by Preston; placed it, unnoticed, over my own, left the apartment with a resolute scowl of defiance; and, next morning ere dawn of day, commenced a hurried journey from Oxford to the continent, in a perfect agony of horror and of shame.

I fled in vain. My evil destiny pursued me as if in exultation, and proved, indeed, that the exercise of its mysterious dominion had as yet only begun. Scarcely had I set foot in Paris ere I had fresh evidence of the detestable interest taken by this Wilson in my concerns. Years flew, while I experienced no relief. Villain! – at Rome, with how untimely, yet with how spectral an officiousness, stepped he in between me and my ambition! At Vienna, too – at Berlin – and at Moscow! Where, in truth, had I *not* bitter cause to curse him within my heart? From his inscrutable tyranny did I at length flee, panic-stricken, as from a pestilence; and to the very ends of the earth *I fled in vain.*

And again, and again, in secret communion with my own spirit, would I demand the questions "Who is he? – whence came he? – and what are his objects?" But no answer was there found. And then I scrutinized, with a minute scrutiny, the forms, and the methods, and the leading traits of his im-

der Geckenhaftigkeit. Als darum Mr. Preston mir den reichte, den er dicht bei den Flügeltüren vom Boden aufgehoben hatte, sah ich mit einem Erstaunen, das fast an Entsetzen grenzte, daß mein eigener Umhang bereits über meinem Arm hing (wohin ich ihn sicherlich unbewußt getan hatte) und daß derjenige, der mir gereicht wurde, in jeder, selbst der allerkleinsten Einzelheit sein genaues Gegenstück war. Das seltsame Geschöpf, das mich in so verhängnisvoller Weise bloßgestellt hatte, war, wie ich mich erinnerte, in einen Umhang gehüllt gewesen; und von keinem der Mitglieder unserer Gruppe war einer getragen worden, außer von mir selbst. Mit einem Rest an Geistesgegenwart nahm ich den mir von Preston angebotenen entgegen, legte ihn unbemerkt über meinen eigenen, verließ mit entschlossenem, finster abwehrenden Blick den Raum – und machte mich am nächsten Morgen vor Tagesanbruch eilends auf die Reise von Oxford zum Kontinent, gemartert von Entsetzen und Scham.

Ich floh vergeblich. Mein böses Geschick folgte mir wie mit Frohlocken und zeigte mir, daß es gerade erst begonnen hatte, seine geheimnisvolle Herrschaft auszuüben. Kaum hatte ich Paris betreten, als ich auch schon Beweise bekam für den abscheulichen Anteil, den dieser Wilson an meinen Belangen nahm. Die Jahre gingen dahin, ohne daß mir Erleichterung zuteil geworden wäre. Schurke! – Mit welch unpassender, doch gespenstischer Aufdringlichkeit stellte er sich in Rom meinem Ehrgeiz in den Weg! Ebenso in Wien – in Berlin – und in Moskau! Wahrlich, an welchem Ort hatte ich nicht bitteren Anlaß, ihn von Herzen zu verfluchen? Von Panik ergriffen, floh ich schließlich vor seiner unerklärlichen Tyrannei wie vor einer Seuche; und bis ans Ende der Welt floh ich vergeblich.

Wieder und wieder stellte ich mir insgeheim die Fragen «Wer ist er? – Woher kam er? – Und was ist seine Absicht?» Aber ich fand keine Antwort. Dann untersuchte ich – in einer äußerst sorgfältigen Untersuchung – die Formen, die Methoden und die Hauptmerkmale seiner unverschämten Beaufsichtigung. Aber selbst hier gab es wenig, worauf sich

pertinent supervision. But even here there was very little upon which to base a conjecture. It was noticeable, indeed, that, in no one of the multiplied instances in which he had of late crossed my path, had he so crossed it except to frustrate those schemes, or to disturb those actions, which, if fully carried out, might have resulted in bitter mischief. Poor justification this, in truth, for an authority so imperiously assumed! Poor indemnity for natural rights of self-agency so pertinaciously, so insultingly denied!

I had also been forced to notice that my tormentor, for a very long period of time (while scrupulously and with miraculous dexterity maintaining his whim of an identity of apparel with myself) had so contrived it, in the execution of his varied interferences with my will, that I saw not, at any moment, the features of his face. Be Wilson what he might, *this*, at least, was but the veriest of affectation, or of folly. Could he, for an instant, have supposed that, in my admonisher at Eton – in the destroyer of my honour at Oxford, – in him who thwarted my ambition at Rome, my revenge at Paris, my passionate love at Naples, or what he falsely termed my avarice in Egypt, – that in this, my arch-enemy and evil genius, I could fail to recognize the William Wilson of my school-boy days, – the namesake, the companion, the rival, – the hated and dreaded rival at Dr Bransby's? Impossible! But let me hasten to the last eventful scene of the drama.

Thus far I had succumbed supinely to this imperious domination. The sentiment of deep awe with which I habitually regarded the elevated character, the majestic wisdom, the apparent omnipresence and omnipotence of Wilson, added to a
104 feeling of even terror, with which certain other
105 traits in his nature and assumptions inspired me,

eine Vermutung hätte gründen lassen. Bemerkenswert war in der Tat, daß er bei keinem der vielen Male, die er mir in letzter Zeit begegnet war, etwas anderes getan hatte, als jene Pläne zu vereiteln oder jene Handlungen zu beeinträchtigen, die möglicherweise – wären sie bis zum Ende ausgeführt worden – bitteres Unheil zur Folge gehabt hätten.

Fürwahr eine armselige Rechtfertigung für eine so herrschsüchtig angemaßte Machtbefugnis! Eine armselige Entschädigung für eine so beharrliche, so beleidigende Verweigerung des naturgegebenen Rechts auf selbstbestimmtes Handeln!

Ich war des weiteren zu bemerken gezwungen gewesen, daß mein Peiniger (während er übergenau und mit wundersamer Geschicklichkeit seiner Laune folgte, äußerlich mit mir identisch zu erscheinen) es lange Zeit so eingerichtet hatte, daß ich nie – keinen Augenblick lang – seine Gesichtszüge sehen konnte, wenn er immer wieder meinen Willen durchkreuzte. Mochte Wilson sein, wer er wollte – das zumindest war nichts als reinste Ziererei oder Torheit. Konnte er auch nur einen Moment lang angenommen haben, daß ich in demjenigen, der mich in Eton gewarnt und der meine Ehre in Oxford vernichtet hatte – in ihm, der meinem Ehrgeiz in Rom entgegengetreten war, meiner Rache in Paris, meiner leidenschaftlichen Liebe in Neapel, oder in Ägypten dem, was er zu Unrecht meine Habgier genannt hatte –, daß ich in diesem meinem Erzfeind und bösen Geist etwa nicht den William Wilson meiner Schuljungenzeit wiedererkannt hätte, den Namensvetter, den Gefährten, den Rivalen – den gehaßten und gefürchteten Rivalen in Dr. Bransbys Anstalt? Unmöglich! – Doch lassen Sie mich voraneilen zur letzten ereignisreichen Szene des Dramas.

Bis dahin hatte ich mich dieser anmaßenden Herrschaft untätig gefügt. Das Gefühl ehrfürchtiger Scheu, mit dem ich gewohntermaßen die würdevolle Natur, die überlegene Weisheit, die offenkundige Allgegenwärtigkeit und Allmacht von Wilson betrachtete, hatte – zusammen mit einer Empfindung des Entsetzens, mit dem gewisse andere Züge seines Wesens und seiner Überheblichkeiten mich erfüllten –

had operated, hitherto, to impress me with an idea of my own utter weakness and helplessness, and to suggest an implicit, although bitterly reluctant submission to his arbitrary will. But, of late days, I had given myself up entirely to wine; and its maddening influence upon my hereditary temper rendered me more and more impatient of control. I began to murmur, – to hesitate, – to resist. And was it only fancy which induced me to believe that, with the increase of my own firmness, that of my tormentor underwent a proportional diminution? Be this as it may, I now began to feel the inspiration of a burning hope, and at length nurtured in my secret thoughts a stern and desperate resolution that I would submit no longer to be enslaved.

It was at Rome, during the Carnival of 18 –, that I attended a masquerade in the palazzo of the Neapolitan Duke Di Broglio. I had indulged more freely than usual in the excesses of the winetable; and now the suffocating atmosphere of the crowded rooms irritated me beyond endurance. The difficulty, too, of forcing my way through the mazes of the company contributed not a little to the ruffling of my temper; for I was anxiously seeking (let me not say with what unworthy motive) the young, the gay, the beautiful wife of the aged and doting Di Broglio. With a too unscrupulous confidence she had previously communicated to me the secret of the costume in which she would be habited, and now, having caught a glimpse of her person, I was hurrying to make my way into her presence. – At this moment I felt a light hand placed upon my shoulder, and that ever-remembered, low, damnable *whisper* within my ear.

In an absolute frenzy of wrath, I turned at once upon him who had thus interrupted me, and seized him violently by the collar. He was attired, as I had

bisher bewirkt, daß ich von dem Gedanken meiner eigenen Schwäche und Hilflosigkeit durchdrungen war und mich stillschweigend, wenn auch mit bitterer Abneigung, seinem übermächtigen Willen beugte.

Aber in letzter Zeit hatte ich mich endgültig dem Wein anheimgegeben, und dessen aufreizender Einfluß auf mein ererbtes Temperament machte mich immer unduldsamer gegen eine Überwachung. Ich begann zu murren – zu zögern – mich zu widersetzen. Und war es nur Einbildung, die mich glauben ließ, daß in dem Maße, in dem meine eigene Festigkeit zunahm, die meines Peinigers abnahm? Wie dem auch sei, ich begann mich nun durch eine brennende Hoffnung ermutigt zu fühlen, und insgeheim reifte schließlich in mir der feste und verzweifelte Entschluß, mich mit meinem Sklavendasein nicht länger abzufinden.

In Rom besuchte ich während des Karnevals 18.. einen Maskenball im Palast des neapolitanischen Herzogs Di Broglio. Ich hatte mich ungezwungener als sonst dem Genuß des Weines hingegeben, und nun reizte es mich auf unerträgliche Weise, daß die Luft in den überfüllten Räumen zum Ersticken war. Auch die Schwierigkeit, mir einen Weg durch das Labyrinth der Menge suchen zu müssen, trug nicht wenig zu meiner Verstimmung bei; denn ich war eifrig bemüht (lassen Sie mich verschweigen, mit welch nichtswürdiger Absicht), die junge, lebenslustige, wunderschöne Gemahlin des betagten, vor Liebe blinden Di Broglio zu finden.

Mit allzu bedenkenlosem Vertrauen hatte sie mir zuvor das Geheimnis ihres Maskenkostümes mitgeteilt, das sie tragen würde, und jetzt, nachdem ich sie flüchtig erblickt hatte, beeilte ich mich, in ihre Nähe zu gelangen. In diesem Augenblick fühlte ich eine leichte Hand auf meiner Schulter und vernahm jenes unvergessene, leise, verwünschte Flüstern in meinem Ohr.

Rasend vor Zorn fuhr ich herum und packte ihn, der mich solcherart aufgehalten hatte, gewaltsam am Kragen. Wie ich erwartet hatte, war er in ein Kostüm gekleidet, das dem

expected, in a costume altogether similar to my own; wearing a Spanish cloak of blue velvet, begirt about the waist with a crimson belt sustaining a rapier. A mask of black silk entirely covered his face.

"Scoundrel!" I said, in a voice husky with rage, while every syllable I uttered seemed as new fuel to my fury, "scoundrel! impostor! accursed villain! you shall not – you *shall not* dog me unto death! Follow me, or I stab you where you stand!" – and I broke my way from the ballroom into a small ante-chamber adjoining – dragging him unresistingly with me as I went.

Upon entering, I thrust him furiously from me. He staggered against the wall, while I closed the door with an oath, and commanded him to draw. He hesitated but for an instant; then, with a slight sigh, drew in silence, and put himself upon his defence.

The contest was brief indeed. I was frantic with every species of wild excitement, and felt within my single arm the energy and power of a multitude. In a few seconds I forced him by sheer strength against the wainscoting, and thus, getting him at mercy, plunged my sword, with brute ferocity, repeatedly through and through his bosom.

At that instant some person tried the latch of the door. I hastened to prevent an intrusion, and then immediately returned to my dying antagonist. But what human language can adequately portray *that* astonishment, *that* horror which possessed me at the spectacle then presented to view? The brief moment in which I averted my eyes had been sufficient to produce, apparently, a material change in the arrangements at the upper or farther end of the room. A large mirror, – so at first it seemed to me in my confusion – now stood where none had been perceptible before; and, as I stepped up to it in extremity of terror, mine own image, but with

meinen vollkommen ähnelte: Er trug einen spanischen Umhang aus blauem Samt und um die Taille einen karmesinroten Gürtel mit einem Rapier. Eine schwarze Seidenmaske verdeckte zur Gänze sein Gesicht.

«Schuft!» sagte ich mit vor Wut heiserer Stimme, während jede Silbe, die ich äußerte, meiner Raserei neue Nahrung zu geben schien, «Schuft! Hochstapler! Verfluchter Schurke! Du sollst und du wirst mich nicht bis an mein Ende verfolgen! Komm mit, oder ich durchbohre dich auf der Stelle!» – Ich bahnte mir einen Weg aus dem Ballsaal in ein kleines, angrenzendes Vorzimmer und zog ihn, ohne daß er sich wehrte, mit mir fort.

Als ich ins Zimmer trat, schleuderte ich ihn voller Wut von mir. Er taumelte gegen die Wand, während ich fluchend die Tür schloß und ihm befahl zu ziehen. Er zögerte nur einen Augenblick, dann zog er mit einem leichten Seufzen schweigend den Degen und ging in Verteidigungsstellung.

Der Kampf war wahrlich kurz. Ich war außer mir vor jeder nur denkbaren, wilden Erregung und fühlte in meinem einen Arm die Energie und die Stärke von unzähligen. In wenigen Sekunden drängte ich ihn durch schiere Kraft gegen die Wandverkleidung, und als er mir auf Gnade und Ungnade ausgeliefert war, stieß ich ihm mit unmenschlicher Grausamkeit wieder und wieder meinen Degen durch die Brust.

In diesem Augenblick bewegte jemand die Türklinke. Ich eilte hin, um ein Eindringen zu verhindern, und kehrte dann sofort zu meinem sterbenden Widersacher zurück. Doch welche menschliche Sprache kann jenes Erstaunen, jenes Entsetzen angemessen wiedergeben, das mich bei dem Anblick überwältigte, der sich mir da bot? Der kurze Moment, in dem ich den Blick abgewandt hatte, war ausreichend gewesen, um offenbar eine materielle Veränderung in der Gestaltung des oberen oder hinteren Raumendes zu bewirken. Ein großer Spiegel – so schien es mir zuerst in meiner Verwirrung – stand nun dort, wo vorher keiner zu sehen gewesen war; und als ich in äußerstem Entsetzen auf ihn zuging, kam mein eigenes Spiegelbild – doch mit bleichem

features all pale and dabbled in blood, advanced to meet me with a feeble and tottering gait.

Thus it appeared, I say, but was not. It was my antagonist – it was Wilson, who then stood before me in the agonies of his dissolution. His mask and cloak lay, where he had thrown them, upon the floor. Not a thread in all his raiment – not a line in all the marked and singular lineaments of his face which was not, even in the most absolute identity, *mine own!*

It was Wilson; but he spoke no longer in a whisper, and I could have fancied that I myself was speaking while he said:

"You have conquered, and I yield. Yet, henceforward art thou also dead – dead to the World, to Heaven, and to Hope! In me didst thou exist – and, in my death, see by this image, which is thine own, how utterly thou hast murdered thyself."

und blutbespritztem Gesicht – auf mich zu, um mir, schwachen und schwankenden Schrittes, zu begegnen.

So schien es zu sein, sage ich, war aber nicht so. Es war mein Widersacher – es war Wilson, der da im Todeskampf vor mir stand.

Seine Maske und sein Umhang lagen auf dem Boden, wo er sie hingeworfen hatte. Nicht ein Faden in seinem Gewand – nicht eine Linie in seinen ausgeprägten und unverwechselbaren Gesichtszügen, die nicht – in wirklich absoluter Identität – die meinen waren!

Es war Wilson; aber er sprach nicht länger mit flüsternder Stimme, und ich hätte mir einbilden können, selbst zu sprechen, als er sagte:

«Du hast gesiegt, und ich sinke zu Boden. Doch auch du wirst hinfort tot sein – tot für die Welt, für den Himmel und für die Hoffnung! In mir lebtest du – und erkenne an diesem Bild, welches dein eigenes ist, wie vollendet du dich mit meinem Tod selbst ermordet hast.»

For the most wild, yet most homely narrative which I am about to pen, I neither expect nor solicit belief. Mad indeed would I be to expect it, in a case where my very senses reject their own evidence. Yet, mad am I not – and very surely do I not dream. But to-morrow I die, and to-day I would unburden my soul. My immediate purpose is to place before the world, plainly, succinctly, and without comment, a series of mere household events. In their consequences, these events have terrified – have tortured – have destroyed me. Yet I will not attempt to expound them. To me, they have presented little but horror – to many they will seem less terrible than *baroques*. Hereafter, perhaps, some intellect may be found which will reduce my phantasm to the commonplace – some intellect more calm, more logical, and far less excitable than my own, which will perceive, in the circumstances I detail with awe, nothing more than an ordinary succession of very natural causes and effects.

From my infancy I was noted for the docility and humanity of my disposition. My tenderness of heart was even so conspicuous as to make me the jest of my companions. I was especially fond of animals, and was indulged by my parents with a great variety of pets. With these I spent most of my time, and never was so happy as when feeding and caressing them. This peculiarity of character grew with my growth, and, in my manhood, I derived from it one of my principal sources of pleasure. To those who have cherished an affection for a faithful and sagacious dog, I need hardly be at the trouble of explaining the nature of the intensity of the gratification thus derivable. There is something in the unselfish and self-sacrificing

Der schwarze Kater

Weder erwarte ich noch erstrebe ich, daß man mir die wildeste und doch einfachste aller Geschichten glauben wird, die ich jetzt niederschreibe. Eine solche Erwartung wäre in der Tat Wahnsinn in einem Fall, in dem meine eigenen Sinne ihren Wahrnehmungen nicht trauen. Doch wahnsinnig bin ich nicht – und ganz gewiß träume ich nicht. Aber morgen sterbe ich, und heute will ich meine Seele erleichtern. Meine unmittelbare Absicht ist es, der Welt eine Reihe einfach nur häuslicher Geschehnisse vorzutragen – in schlichter, knapper Form und ohne Wertung.

Die Folge dieser Geschehnisse war: Sie haben mich entsetzt – gequält – zerstört. Aber ich werde nicht versuchen, sie zu erklären. Mir haben sie fast nichts als Schrecken gebracht – doch vielen werden sie nicht schrecklich vorkommen, sondern eher bizarr. Vielleicht findet sich später einmal ein menschlicher Verstand, der meine Phantasiegebilde auf das Normale zurückführt – ein Verstand, der ruhiger, logischer und weitaus weniger erregbar ist als der meine und der in den Umständen, die ich voller Grauen schildere, nichts weiter als eine gewöhnliche Kette natürlichster Ursachen und Wirkungen sieht.

Von Kindesbeinen an war ich bekannt für mein folgsames und mitfühlendes Wesen. Die Weichheit meines Herzens war dermaßen auffallend, daß meine Kameraden mich auslachten. Tiere liebte ich besonders, und ich wurde von meinen Eltern mit vielen verschiedenen Haustieren verwöhnt. Mit ihnen verbrachte ich den größten Teil meiner Zeit und war nie so glücklich, wie wenn ich sie füttern und liebkosen konnte. Diese Eigentümlichkeit meines Wesens prägte sich noch stärker aus, als ich größer wurde, und im Mannesalter war sie eine der Hauptquellen meines Wohlbefindens. Denen, die Zuneigung zu einem treuen und klugen Hund hegen, brauche ich kaum zu erklären, von welcher Art oder Intensität die Freude ist, die sich daraus herleitet. In der selbstlosen und aufopfernden Liebe eines Tieres liegt etwas,

love of a brute, which goes directly to the heart of him who has had frequent occasion to test the paltry friendship and gossamer fidelity of mere *Man*.

I married early, and was happy to find in my wife a disposition not uncongenial with my own. Observing my partiality for domestic pets, she lost no opportunity of procuring those of the most agreeable kind. We had birds, gold-fish, a fine dog, rabbits, a small monkey, and *a cat*.

This latter was a remarkably large and beautiful animal, entirely black, and sagacious to an astonishing degree. In speaking of his intelligence, my wife, who at heart was not a little tinctured with superstition, made frequent allusion to the ancient popular notion, which regarded all black cats as witches in disguise. Not that she was ever *serious* upon this point – and I mention the matter at all for no better reason than that it happens, just now, to be remembered.

Pluto – this was the cat's name – was my favourite pet and playmate. I alone fed him, and he attended me wherever I went about the house. It was even with difficulty that I could prevent him from following me through the streets.

Our friendship lasted, in this manner, for several years, during which my general temperament and character – through the instrumentality of the fiend Intemperance – had (I blush to confess it) experienced a radical alteration for the worse. I grew, day by day, more moody, more irritable, more regardless of the feelings of others. I suffered myself to use intemperate language to my wife. At length, I even offered her personal violence. My pets, of course, were made to feel the change in my disposition. I not only neglected, but ill-used them. For Pluto, however, I still retained sufficient regard to restrain me from maltreating him, as I made no scruple of maltreating the rabbits, the monkey, or

das demjenigen unmittelbar zu Herzen geht, der öfters Gelegenheit hat, die armselige Freundschaft und unbeständige Treue der Menschen zu erproben.

Ich heiratete früh und entdeckte zu meiner Freude bei meiner Frau eine Veranlagung, die der meinen verwandt war. Als sie meine Vorliebe für Tiere bemerkte, versäumte sie keine Gelegenheit, Hausgenossen der angenehmsten Art zu beschaffen. Wir hatten Vögel, Goldfische, einen schönen Hund, Kaninchen, ein Äffchen und einen Kater.

Dieser Kater war ein bemerkenswert großes und schönes Tier, vollkommen schwarz und von erstaunlicher Klugheit. Wenn meine Frau von seiner Intelligenz sprach, machte sie, die im Grunde ihres Herzens gar nicht wenig abergläubisch veranlagt war, des öfteren eine Anspielung auf den alten Volksglauben, wonach alle schwarzen Katzen Hexen in anderer Gestalt sind. Nicht, daß sie jemals im Ernst über diesen Punkt geredet hätte – und ich erwähne das Thema auch nur deshalb, weil es mir zufällig gerade in den Sinn kommt.

Pluto – so hieß der Kater – war mir das liebste von meinen Tieren und Spielgefährten. Ich allein fütterte ihn, und er folgte mir im Haus überall hin. Nur mit Mühe konnte ich ihn davon abhalten, mich durch die Straßen zu begleiten.

Unsere Freundschaft dauerte in dieser Form mehrere Jahre lang, während derer meine ganze Natur, mein ganzes Wesen – durch das Wirken des Teufels Trunksucht – eine (ich gestehe es mit Schamesröte) grundlegende Veränderung zum Schlechten erfuhren. Ich wurde täglich launischer, reizbarer, rücksichtsloser gegenüber den Gefühlen anderer. Ich erlaubte mir, unbeherrscht mit meiner Frau zu sprechen. Schließlich wandte ich sogar körperliche Gewalt ihr gegenüber an. Meine Tiere bekamen den Wandel in meinem Verhalten natürlich besonders zu spüren. Ich vernachlässigte sie nicht nur, sondern mißhandelte sie. Vor Pluto hatte ich jedoch noch genügend Achtung, um mich davon abzuhalten, ihm weh zu tun, während ich ohne Bedenken den Kaninchen, den Affen und selbst dem Hund weh tat, wenn sie

even the dog, when by accident, or through affection, they came in my way. But my disease grew upon me – for what disease is like alcohol! – and at length even Pluto, who was now becoming old, and consequently somewhat peevish – even Pluto began to experience the effects of my ill temper.

One night, returning home, much intoxicated, from one of my haunts about town, I fancied that the cat avoided my presence. I seized him; when, in his fright at my violence, he inflicted a slight wound upon my hand with his teeth. The fury of a demon instantly possessed me. I knew myself no longer. My original soul seemed, at once, to take its flight from my body; and a more than fiendish malevolence, gin-nurtured, thrilled every fibre of my frame. I took from my waistcoat pocket a pen-knife, opened it, grasped the poor beast by the throat, and deliberately cut one of its eyes from the socket! I blush, I burn, I shudder, while I pen the damnable atrocity.

When reason returned with the morning – when I had slept off the fumes of the night's debauch – I experienced a sentiment half of horror, half of remorse, for the crime of which I had been guilty; but it was, at best, a feeble and equivocal feeling, and the soul remained untouched. I again plunged into excess, and soon drowned in wine all memory of the deed.

In the meantime the cat slowly recovered. The socket of the lost eye presented, it is true, a frightful appearance, but he no longer appeared to suffer any pain. He went about the house as usual, but, as might be expected, fled in extreme terror at my approach. I had so much of my old heart left, as to be at first grieved by this evident dislike on the part of a creature which had once so loved me. But this feeling soon gave place to irritation. And then came, as if to my final and irrevocable overthrow,

aus Zufall oder aus Zuneigung mir in den Weg liefen. Aber meine Krankheit gewann immer mehr Macht über mich – denn welche Krankheit ist dem Alkohol vergleichbar! – und schließlich mußte selbst Pluto, der nun alt und infolgedessen etwas griesgrämig wurde, die Auswirkungen meiner bösen Launen am eigenen Leibe erfahren.

Als ich eines Abends sehr betrunken von einer meiner Zechtouren nach Hause kam, bildete ich mir ein, daß der Kater mir auswich. Ich packte ihn; da fügte er mir in seinem Schrecken über meine Rohheit mit den Zähnen eine leichte Wunde an der Hand zu. Sogleich ergriff die Wut eines Dämons Besitz von mir. Ich kannte mich nicht mehr. Meine eigentliche Seele schien in diesem Augenblick aus meinem Körper fortzufliegen. Eine mehr als teuflische Bosheit, durch Gin genährt, setzte jede Faser meines Körpers in Erregung. Ich zog ein Federmesser aus der Westentasche, öffnete es, ergriff das arme Tier an der Kehle und schnitt ihm mit voller Absicht ein Auge aus der Augenhöhle heraus. Ich werde rot, ich brenne vor Scham, ich schaudere, während ich die verdammenswerte Greueltat zu Papier bringe.

Als am Morgen der Verstand zurückkehrte – nachdem ich den Rausch der nächtlichen Orgie ausgeschlafen hatte –, empfand ich ein Gefühl teils des Schreckens, teils der Reue angesichts des Verbrechens, dessen ich mich schuldig gemacht hatte; aber es handelte sich bestenfalls um ein schwaches und unbestimmtes Gefühl, und die Seele blieb davon unberührt. Ich stürzte mich in die nächste Ausschweifung und löschte jede Erinnerung an die Tat mit Wein aus.

In der Zwischenzeit erholte sich der Kater langsam. Die Höhle des verlorenen Auges bot, das ist wahr, einen schrecklichen Anblick, aber er schien keine Schmerzen mehr zu leiden. Er ging im Hause herum wie gewohnt, floh aber, wie zu erwarten, in höchstem Entsetzen, wenn ich mich näherte. Von meinem alten Herzen war mir noch so viel geblieben, daß ich zunächst bekümmert war über diese offenkundige Abneigung von seiten eines Geschöpfes, das mich früher so sehr geliebt hatte. Doch dieses Gefühl machte bald der Verärgerung Platz. Und dann stellte sich, wie zu meinem end-

the spirit of Perverseness. Of this spirit philosophy takes no account. Yet I am not more sure that my soul lives, than I am that perverseness is one of the primitive impulses of the human heart – one of the indivisible primary faculties, or sentiments, which give direction to the character of man. Who has not, a hundred times, found himself committing a vile or a silly action, for no other reason than because he knows he should *not*? Have we not a perpetual inclination, in the teeth of our best judgment, to violate that which is *Law,* merely because we understand it to be such? This spirit of perverseness, I say, came to my final overthrow. It was this unfathomable longing of the soul *to vex itself* – to offer violence to its own nature – to do wrong for the wrong's sake only – that urged me to continue and finally to consummate the injury I had inflicted upon the unoffending brute. One morning, in cool blood, I slipped a noose about its neck and hung it to the limb of a tree – hung it with the tears streaming from my eyes, and with the bitterest remorse at my heart – hung it *because* I knew that it had loved me, and *because* I felt it had given me no reason of offence – hung it *because* I knew that in so doing I was committing a sin – a deadly sin that would so jeopardize my immortal soul as to place it – if such a thing were possible – even beyond the reach of the infinite mercy of the Most Merciful and Most Terrible God.

On the night of the day on which this cruel deed was done, I was aroused from sleep by the cry of "Fire!" The curtains of my bed were in flames. The whole house was blazing. It was with great difficulty that my wife, a servant, and myself, made our escape from the conflagration. The destruction was
118 complete. My entire worldly wealth was swallowed
119 up, and I resigned myself thenceforward to despair.

gültigen und unwiderruflichen Verderben, der Geist der Widersetzlichkeit ein. Diesem Geist schenkt die Philosophie keine Beachtung. Doch bin ich genauso sicher, daß meine Seele unsterblich ist, wie ich sicher bin, daß die Widersetzlichkeit einer der ältesten Triebe des menschlichen Herzens ist – eine der unteilbaren, ursprünglichen Kräfte oder Gefühlsregungen, die das Wesen des Menschen bestimmen. Wer hat sich nicht hundertmal dabei ertappt, daß er etwas Niederträchtiges oder Törichtes allein deshalb tat, weil er wußte, daß er es nicht tun sollte? Neigen wir nicht ständig dazu – wider besseres Wissen –, Recht und Gesetz zu verletzen, nur weil wir erkennen, daß es sich um Recht und Gesetz handelt? Dieser Geist der Widersetzlichkeit also stellte sich ein zu meinem endgültigen Verderben. Es war dieses unergründliche Verlangen der Seele, sich selbst zu quälen – Gewalt anzuwenden gegen die eigene Natur – das Böse nur um des Bösen willen zu tun –, was mich zwang, noch weiter zu gehen und das Unrecht zu vollenden, das ich der arglosen Kreatur angetan hatte. Eines Morgens band ich dem Kater kaltblütig eine Schlinge um den Hals und erhängte ihn am Ast eines Baumes – erhängte ihn, während mir die Tränen aus den Augen strömten und mit bitterster Reue im Herzen – erhängte ihn, weil ich wußte, daß er mich geliebt hatte, und weil ich fühlte, daß er mir keinen Grund gegeben hatte, ihm etwas Böses anzutun – erhängte ihn, weil ich wußte, daß ich damit eine Sünde beging, eine Todsünde, die meine unsterbliche Seele so in Gefahr brachte, daß sie – wenn das denkbar wäre – nicht mehr von dem unendlichen Erbarmen des gnädigsten und schrecklichsten Gottes erreicht werden konnte.

In der Nacht nach dem Tag, an dem diese grausame Tat begangen worden war, weckte mich der Schrei: «Feuer». Meine Bettvorhänge standen in Flammen. Das ganze Haus brannte lichterloh. Unter großen Schwierigkeiten konnten meine Frau, eine Dienerin und ich uns aus der Feuersbrunst retten. Die Zerstörung war vollständig. Mein ganzer weltlicher Reichtum war ein Raub der Flammen geworden, und ich gab mich von da an der Verzweiflung anheim.

I am above the weakness of seeking to establish a sequence of cause and effect between the disaster and the atrocity. But I am detailing a chain of facts, and wish not to leave even a possible link imperfect. On the day succeeding the fire, I visited the ruins. The walls, with one exception, had fallen in. This exception was found in a compartment wall, not very thick, which stood about the middle of the house, and against which had rested the head of my bed. The plastering had here, in great measure, resisted the action of the fire – a fact which I attributed to its having been recently spread. About this wall a dense crowd were collected, and many persons seemed to be examining a particular portion of it with very minute and eager attention. The words "strange!" "singular!" and other similar expressions, excited my curiosity. I approached and saw, as if graven in bas-relief upon the white surface, the figure of a gigantic *cat*. The impression was given with an accuracy truly marvellous. There was a rope about the animal's neck.

When I first beheld this apparition – for I could scarcely regard it as less – my wonder and my terror were extreme. But at length reflection came to my aid. The cat, I remembered, had been hung in a garden adjacent to the house. Upon the alarm of fire, this garden had been immediately filled by the crowd – by some one of whom the animal must have been cut from the tree and thrown, through an open window, into my chamber. This had probably been done with the view of arousing me from sleep. The falling of other walls had compressed the victim of my cruelty into the substance of the freshly-spread plaster; the lime of which, with the flames and the *ammonia* from the carcass, had then accomplished the portraiture as I saw it.

Although I thus readily accounted to my reason, if not altogether to my conscience, for the

Ich bin über die Schwäche erhaben, einen Zusammenhang von Ursache und Wirkung zwischen dem Unglück und der Greueltat behaupten zu wollen. Vielmehr berichte ich eine Kette von Tatsachen – und möchte keines ihrer möglichen Glieder unvollständig lassen. An dem auf das Feuer folgenden Tag besichtigte ich die Ruinen. Die Wände waren mit einer Ausnahme eingestürzt, und diese Ausnahme war eine Trennwand etwa in der Mitte des Hauses, an der sich das Kopfende meines Bettes befunden hatte. Der Putz hatte hier in großem Umfang dem Feuer widerstanden – was ich dem Umstand zuschrieb, daß er erst kürzlich aufgetragen worden war. Um diese Wand hatte sich eine dichte Menschenmenge versammelt, und viele Leute schienen einen bestimmten Teil davon mit genauester und angespanntester Aufmerksamkeit zu untersuchen. Die Worte «Sonderbar!», «Einzigartig!» und andere, ähnliche Ausdrücke erregten meine Neugier. Ich näherte mich und erblickte die Figur eines riesengroßen Katers, die wie ein Bas-Relief in die weiße Fläche eingemeißelt war. Die Abbildung besaß eine wirklich wundersame Genauigkeit. Um den Hals des Tieres war ein Seil geschlungen.

Als ich diese Erscheinung zuerst sah – denn für weniger konnte ich sie kaum halten –, waren mein Erstaunen und mein Entsetzen grenzenlos. Doch schließlich kam mir die Vernunft zu Hilfe. Ich erinnerte mich, daß der Kater in einem an das Haus angrenzenden Garten erhängt worden war. Auf den Feueralarm hin hatte sich dieser Garten sogleich mit vielen Menschen gefüllt – und einer von ihnen mußte das Tier vom Baum geschnitten und durch ein offenes Fenster in mein Zimmer geschleudert haben. Vermutlich hatte man dies in der Absicht getan, mich aus dem Schlaf zu wecken. Das Einstürzen anderer Wände hatte das Opfer meiner Grausamkeit in den frisch aufgetragenen Putz hineingepreßt; und der Kalk aus dem Putz hatte zusammen mit dem Feuer und dem Ammoniak aus dem Tierkörper das Bildnis so vollendet, wie ich es erblickte.

Obgleich ich also sofort meinem Verstand – wenn auch nicht hinreichend meinem Gewissen – die eben geschilderte,

startling fact just detailed, it did not the less fail to make a deep impression upon my fancy. For months I could not rid myself of the phantasm of the cat; and, during this period, there came back into my spirit a half-sentiment that seemed, but was not, remorse. I went so far as to regret the loss of the animal, and to look about me, among the vile haunts which I now habitually frequented, for another pet of the same species, and of somewhat similar appearance, with which to supply its place.

One night as I sat, half-stupefied, in a den of more than infamy, my attention was suddenly drawn to some black object, reposing upon the head of one of the immense hogsheads of gin, or of rum, which constituted the chief furniture of the apartment. I had been looking steadily at the top of this hogshead for some minutes, and what now caused me surprise was the fact that I had not sooner perceived the object thereupon. I approached it, and touched it with my hand. It was a black cat – a very large one – fully as large as Pluto, and closely resembling him in every respect but one. Pluto had not a white hair upon any portion of his body; but this cat had a large, although indefinite, splotch of white, covering nearly the whole region of the breast.

Upon my touching him, he immediately arose, purred loudly, rubbed against my hand, and appeard delighted with my notice. This, then, was the very creature of which I was in search. I at once offered to purchase it of the landlord; but this person made no claim to it – knew nothing of it – had never seen it before.

I continued my caresses, and when I prepared to go home, the animal evinced a disposition to accompany me. I permitted it to do so; occasionally stooping and patting it as I proceeded. When it reached the house it domesticated itself at once,

bestürzende Tatsache erklärte, ließ sich meine Einbildungskraft hingegen davon nicht beeindrucken. Monatelang konnte ich mich nicht von dem Erscheinungsbild des Katers befreien; und in dieser Zeit kehrte eine schwache Empfindung in meine Seele zurück, die Reue zu sein schien, aber keine war. Ich ging so weit, den Verlust des Tieres zu bedauern und mich in den widerlichen Spelunken, die ich jetzt gewohnheitsmäßig aufsuchte, nach einem Tier von gleicher Art und ähnlichem Aussehen umzuschauen, das seinen Platz einnehmen sollte.

Als ich eines Nachts halb betäubt in einer Kneipe saß, die mehr als verrufen war, wurde meine Aufmerksamkeit unversehens auf einen schwarzen Gegenstand gelenkt, der oben auf einem der riesigen Oxhoft-Fässer lag, die voll Gin oder Rum waren und im wesentlichen die Einrichtung dieses Raumes darstellten. Ich hatte einige Minuten lang unverwandt zur Oberseite dieses Fasses hingeschaut, und was mich jetzt überraschte, war der Umstand, daß ich den Gegenstand darauf nicht eher erblickt hatte. Ich näherte mich ihm und berührte ihn mit der Hand. Es war ein schwarzer Kater – ein sehr großer –, ebenso groß wie Pluto, dem er in jeder Hinsicht ähnelte, außer in einer: Pluto hatte nirgendwo an seinem Körper auch nur ein einziges weißes Haar gehabt; dieser Kater jedoch hatte einen großen, wenn auch unscharf gezeichneten weißen Fleck, der fast die ganze Brust bedeckte.

Als ich ihn berührte, stand er sofort auf, schnurrte laut, rieb sich an meiner Hand und schien entzückt darüber zu sein, daß ich ihn bemerkt hatte. Dieser Kater nun war genau das Geschöpf, das ich suchte. Sogleich bot ich dem Wirt an, ihm den Kater abzukaufen; der aber erhob keinen Anspruch auf ihn – kannte ihn gar nicht – hatte ihn nie zuvor gesehen.

Ich fuhr mit meinen Liebkosungen fort, und als ich mich anschickte, nach Hause zu gehen, ließ das Tier deutlich die Neigung erkennen, mich zu begleiten. Ich erlaubte ihm das, und während des Gehens bückte ich mich gelegentlich und streichelte es. Zu Hause angekommen, fühlte es sich auf

and became immediately a great favourite with my wife.

For my own part, I soon found a dislike to it arising within me. This was just the reverse of what I had anticipated; but – I know not how or why it was – its evident fondness for myself rather disgusted and annoyed me. By slow degrees, these feelings of disgust and annoyance rose into the bitterness of hatred. I avoided the creature; a certain sense of shame, and the remembrance of my former deed of cruelty, preventing me from physically abusing it. I did not, for some weeks, strike, or otherwise violently ill-use it; but gradually – very gradually – I came to look upon it with unutterable loathing, and to flee silently from its odious presence, as from the breath of a pestilence.

What added, no doubt, to my hatred of the beast, was the discovery, on the morning after I brought it home, that, like Pluto, it also had been deprived of one of its eyes. This circumstance, however, only endeared it to my wife, who, as I have already said, possessed, in a high degree, that humanity of feeling which had once been my distinguishing trait, and the source of many of my simplest and purest pleasures.

With my aversion to this cat, however, its partiality for myself seemed to increase. It followed my footsteps with a pertinacity which it would be difficult to make the reader comprehend. Whenever I sat, it would crouch beneath my chair, or spring upon my knees, covering me with its loathsome caresses. If I arose to walk, it would get between my feet, and thus nearly throw me down, or, fastening its long and sharp claws in my dress, clamber, in this manner, to my breast. At such times, although I longed to destroy it with a blow, I was yet withheld from so doing, partly by a memory of my former crime, but chiefly – let

der Stelle heimisch und wurde sogleich der Liebling meiner Frau.

Was mich betraf, so entdeckte ich bald, daß eine Abneigung gegen das Tier in mir entstand. Das war genau das Gegenteil von dem, was ich erwartet hatte; doch ich weiß nicht, wie oder warum das geschah – seine offenkundige Zuneigung zu mir erfüllte mich eher mit Widerwillen und Verdruß. Und nach und nach wurde aus Widerwillen und Verdruß die Bitterkeit des Hasses. Ich mied das Tier; eine gewisse Empfindung der Scham und die Erinnerung an meine frühere grausame Tat hielten mich davon ab, es körperlich zu mißhandeln. Einige Wochen lang schlug ich es nicht, noch tat ich ihm in anderer Form Gewalt an; aber allmählich – ganz allmählich – begann ich, das Tier mit unaussprechlichem Ekel zu betrachten und schweigend seine widerwärtige Gegenwart zu fliehen wie einen Pesthauch.

Was meinen Haß auf das Tier steigerte, war zweifellos die Entdeckung am darauffolgenden Morgen, nachdem ich den Kater mit nach Hause gebracht hatte, daß wie Pluto auch er eines Auges beraubt worden war. Dieser Umstand machte ihn meiner Frau jedoch nur noch lieber, die, wie ich schon sagte, in hohem Maße jene Menschlichkeit des Empfindens besaß, die einst mein auffallendster Wesenszug und die Quelle vieler meiner natürlichsten und reinsten Freuden gewesen war.

Mit meiner Abneigung gegen diesen Kater wuchs aber offenbar seine Vorliebe für mich. Er folgte mir auf dem Fuße mit einer Hartnäckigkeit, die dem Leser kaum verständlich zu machen ist. Wann immer ich mich setzte, kauerte er sich unter meinen Stuhl oder sprang mir auf die Knie und bedeckte mich mit seinen ekelhaften Zärtlichkeiten. Wenn ich mich erhob und ein paar Schritte machte, geriet er mir unweigerlich zwischen die Füße und brachte mich auf diese Weise beinahe zu Fall, oder er kletterte, indem er seine langen, scharfen Krallen in meine Kleidung schlug, bis zu meiner Brust empor. Obwohl ich bei solchen Gelegenheiten Lust hatte, ihn mit einem Schlag auszulöschen, wurde ich doch davon abgehalten – zum Teil durch die Erinnerung

me confess it at once – by absolute *dread* of the beast.

This dread was not exactly a dread of physical evil – and yet I should be at a loss how otherwise to define it. I am almost ashamed to own – yes, even in this felon's cell, I am almost ashamed to own – that the terror and horror with which the animal inspired me, had been heightened by one of the merest chimeras it would be possible to conceive. My wife had called my attention, more than once, to the character of the mark of white hair, of which I have spoken, and which constituted the sole visible difference between the strange beast and the one I had destroyed. The reader will remember that this mark, although large, had been originally very indefinite; but, by slow degrees – degrees nearly imperceptible, and which for a long time my reason struggled to reject as fanciful – it had, at length, resumed a rigorous distinctness of outline. It was now the representation of an object that I shudder to name – and for this, above all, I loathed, and dreaded, and would have rid myself of the monster *had I dared* – it was now, I say, the image of a hideous – of a ghastly thing – of the Gallows – oh, mournful and terrible engine of horror and of crime – of agony and of death!

And now was I indeed wretched beyond the wretchedness of mere humanity. And a *brute beast* – whose fellow I had contemptuously destroyed – a *brute beast* to work out for *me* – for me, a man, fashioned in the image of the High God – so much of insufferable woe!

Alas! neither by day nor by night knew I the blessing of rest any more! During the former the creature left me no moment alone; and, in the latter, I started, hourly, from dreams of unutterable fear, to find the hot breath of *the thing* upon my face, and its vast weight

an mein früheres Verbrechen, aber hauptsächlich – daß ich es nur gleich gestehe – durch nackte Angst vor dem Tier.

Diese Angst war nicht eigentlich Angst vor körperlichem Unheil, und doch wäre ich in Verlegenheit, wie ich sie sonst beschreiben sollte. Ich schäme mich fast, es zuzugeben – ja, selbst in dieser Verbrecherzelle schäme ich mich fast, es zuzugeben –, daß der Schrecken und das Entsetzen, mit denen das Tier mich erfüllte, gesteigert worden waren durch ein reines Hirngespinst, das man sich gespenstischer nicht ausdenken könnte. Meine Frau hatte mich wiederholt auf die Beschaffenheit des weißen Haarflecks hingewiesen, von dem ich gesprochen habe und der den einzigen sichtbaren Unterschied darstellte zwischen dem fremden Tier und dem, welches ich umgebracht hatte. Der Leser wird sich erinnern, daß dieses Abzeichen zunächst, wenn auch groß, ganz unscharf in der Form gewesen war; doch allmählich – so allmählich und fast unmerklich, daß mein Verstand lange bemüht gewesen war, das als Einbildung abzutun – hatte es dann unerbittlich klare Konturen angenommen. Es war nun das Abbild eines Gegenstandes, den zu nennen mich schaudern macht – und vor allem deswegen verabscheute und fürchtete ich das Ungeheuer und hätte es mir vom Halse geschafft, wenn ich es nur gewagt hätte: der Fleck stellte nun einen gräßlichen, einen grausigen Gegenstand dar: den Galgen. – O jammervolles und entsetzliches Werkzeug des Schreckens und des Frevels, der Marter und des Todes!

Nun beschränkte sich mein Elend wahrlich nicht mehr auf das Elend der Menschheit! Daß ein unvernünftiges Tier – dessen Artgenossen ich voller Verachtung getötet hatte –, daß ein unvernünftiges Tier mir – mir, einem Menschen, der nach dem Bilde des großen Gottes geschaffen war – so viel unerträgliche Pein bereiten konnte! Ach! Weder bei Tag noch bei Nacht kannte ich mehr die Wohltat der Ruhe! Während des Tages ließ mich dieses Geschöpf keinen Augenblick allein, und während der Nacht schrak ich Stunde um Stunde aus unsagbar angstvollen Träumen hoch, um den heißen Atem der Kreatur auf meinem Gesicht zu spüren und ihr ungeheures Gewicht – einen fleischgewordenen Alp-

– an incarnate nightmare that I had no power to shake off – incumbent eternally upon my *heart*!

Beneath the pressure of torments such as these, the feeble remnant of the good within me succumbed. Evil thoughts became my sole intimates – the darkest and most evil of thoughts. The moodiness of my usual temper increased to hatred of all things and of all mankind; while, from the sudden, frequent, and ungovernable outbursts of a fury to which I now blindly abandoned myself, my uncomplaining wife, alas! was the most usual and the most patient of sufferers.

One day she accompanied me, upon some household errand, into the cellar of the old building which our poverty compelled us to inhabit. The cat followed me down the steep stairs, and, nearly throwing me headlong, exasperated me to madness. Uplifting an axe, and forgetting, in my wrath, the childish dread which had hitherto stayed my hand, I aimed a blow at the animal which, of course, would have proved instantly fatal had it descended as I wished. But this blow was arrested by the hand of my wife. Goaded, by the interference, into a rage more than demoniacal, I withdrew my arm from her grasp, and buried the axe in her brain. She fell dead upon the spot, without a groan.

This hideous murder accomplished, I set myself forthwith, and with entire deliberation, to the task of concealing the body. I knew that I could not remove it from the house, either by day or by night, without the risk of being observed by the neighbours. Many projects entered my mind. At one period I thought of cutting the corpse into minute fragments and destroying them by fire. At another, I resolved to dig a grave for it in the floor of the cellar. Again, I deliberated about casting it into the well in the yard – about packing it in a box, as if merchandise, with the usual arrangements,

traum, den ich nicht abzuschütteln vermochte – in Ewigkeit auf meinem Herzen lasten zu fühlen!

Unter dem Druck dieser Qualen brachen die schwachen Überreste des Guten in mir zusammen. Böse Gedanken wurden meine einzigen Vertrauten – Gedanken, wie sie finsterer und böser nicht sein konnten. Die schlechte Laune, die mein übliches Befinden war, steigerte sich zu einem Haß auf alle Dinge und auf die gesamte Menschheit; während unter den plötzlichen, häufigen und unbeherrschbaren Ausbrüchen einer Wut, der ich mich jetzt blindlings überließ, mein Weib, ach, das nie klagte und immer geduldig blieb, am meisten zu leiden hatte.

Eines Tages begleitete sie mich zu irgendeiner häuslichen Besorgung in den Keller des alten Gebäudes, in dem unsere Armut uns zu wohnen zwang. Der Kater folgte mir die steilen Stufen hinab, und weil er mich beinahe kopfüber hinunterstürzen ließ, trieb er mich zum Wahnsinn. Ich ergriff eine Axt, vergaß in meinem Zorn die kindische Angst, die bis dahin meine Hand gelähmt hatte, und holte zu einem gezielten Schlag aus, der mit Sicherheit auf der Stelle tödlich gewesen wäre, wäre er gefallen, wie ich es wünschte. Aber dieser Schlag wurde aufgehalten von der Hand meiner Frau. Durch diese Einmischung zu einer mehr als teuflischen Wut angestachelt, befreite ich meinen Arm aus ihrem Griff und hieb die Axt in ihren Schädel. Sie fiel ohne einen Laut tot zu Boden.

Als dieser abscheuliche Mord vollbracht war, widmete ich mich sogleich und mit sorgfältiger Überlegung der Aufgabe, die Leiche zu verbergen. Ich wußte, daß ich sie nicht aus dem Haus schaffen konnte, weder am Tag noch während der Nacht, ohne Gefahr zu laufen, von den Nachbarn beobachtet zu werden. Zahlreiche Möglichkeiten gingen mir durch den Sinn. Einmal dachte ich daran, die Leiche in kleine Teile zu zerlegen und diese durch Feuer zu vernichten. Ein andermal wollte ich im Boden des Kellers ein Grab graben. Dann wieder erwog ich, sie in den Brunnen im Hof zu werfen – oder in einen Kasten zu packen wie Handelsware, mit den üblichen Formalitäten, und sie auf diese Weise von

and so getting a porter to take it from the house. Finally I hit upon what I considered a far better expedient than either of these. I determined to wall it up in the cellar – as the monks of the Middle Ages are recorded to have walled up their victims.

For a purpose such as this the cellar was well adapted. Its walls were loosely constructed, and had lately been plastered throughout with a rough plaster, which the dampness of the atmosphere had prevented from hardening. Moreover, in one of the walls was a projection, caused by a false chimney, or fire-place, that had been filled up and made to resemble the rest of the cellar. I made no doubt that I could readily displace the bricks at this point, insert the corpse, and wall the whole up as before, so that no eye could detect anything suspicious.

And in this calculation I was not deceived. By means of a crowbar I easily dislodged the bricks, and, having carefully deposited the body against the inner wall, I propped it in that position, while, with little trouble, I relaid the whole structure as it originally stood. Having procured mortar, sand, and hair, with every possible precaution, I prepared a plaster which could not be distinguished from the old, and with this I very carefully went over the new brickwork. When I had finished, I felt satisfied that all was right. The wall did not present the slightest appearance of having been disturbed. The rubbish on the floor was picked up with the minutest care. I looked around triumphantly, and said to myself, "Here at least, then, my labour has not been in vain."

My next step was to look for the beast which had been the cause of so much wretchedness; for I had, at length, firmly resolved to put it to death. Had I been able to meet with it at the moment, there
130 could have been no doubt of its fate; but it appeared
131 that the crafty animal had been alarmed at the vio-

einem Dienstmann aus dem Haus holen zu lassen. Zuletzt fiel mir etwas ein, das ich viel zweckmäßiger fand als jede dieser Möglichkeiten. Ich entschied mich, sie an der Kellerwand einzumauern, so wie den Berichten zufolge die Mönche im Mittelalter ihre Opfer eingemauert haben.

Für eine solche Absicht war der Keller gut geeignet. Seine Wände waren nicht sehr fest gebaut und vor kurzem vollständig mit einem rauhen Putz bedeckt worden, dessen Aushärtung die Feuchtigkeit der Luft verhindert hatte. Außerdem befand sich in einer der Mauern eine Nische, verursacht durch einen blinden Schornstein oder Kamin, die aufgefüllt und dem restlichen Keller angeglichen worden war. Ich zweifelte nicht, daß ich an dieser Stelle die Mauersteine leicht entfernen, die Leiche hineinstellen und alles wieder hochmauern konnte, so daß kein Auge irgendetwas Verdächtiges zu entdecken vermochte.

Und in dieser Annahme hatte ich mich nicht getäuscht. Mit Hilfe eines Brecheisens entfernte ich ohne Schwierigkeiten die Steine, und als ich die Leiche vorsichtig gegen die innere Wand gelehnt hatte, stützte ich sie in dieser Position ab, während ich mit geringer Mühe die ganze Mauer wieder so aufbaute, wie sie ursprünglich gestanden hatte. Nachdem ich mir mit jeder nur denkbaren Vorsicht Mörtel, Sand und Haar besorgt hatte, bereitete ich einen Putz, der von dem alten nicht zu unterscheiden war, und mit diesem bedeckte ich sorgfältig das neue Mauerwerk. Als ich das vollendet hatte, stellte ich mit Genugtuung fest, daß alles in Ordnung war. Die Wand vermittelte nicht im geringsten den Eindruck, daß etwas mit ihr geschehen war. Der Schutt auf dem Boden wurde mit größter Sorgfalt aufgehoben. Ich blickte triumphierend umher und sagte zu mir: «Wenigstens hier also ist meine Mühe nicht vergeblich gewesen.»

Mein nächster Schritt bestand darin, mich nach dem Tier umzusehen, welches der Grund für so großes Elend gewesen war; denn ich war nun fest entschlossen, es zu töten. Wäre es mir möglich gewesen, ihm in diesem Augenblick zu begegnen, hätte es keinen Zweifel an seinem Schicksal geben können; aber offenbar war das schlaue Tier durch die Heftig-

lence of my previous anger, and forbore to present itself in my present mood. It is impossible to describe, or to imagine, the deep, the blissful sense of relief which the absence of the detested creature occasioned in my bosom. It did not make its appearance during the night – and thus for one night at least, since its introduction into the house, I soundly and tranquilly slept; aye, *slept* even with the burden of murder upon my soul!

The second and the third day passed, and still my tormentor came not. Once again I breathed as a free man. The monster, in terror, had fled the premises for ever! I should behold it no more! My happiness was supreme! The guilt of my dark deed disturbed me but little. Some few inquiries had been made, but these had been readily answered. Even a search had been instituted – but of course nothing was to be discovered. I looked upon my future felicity as secured.

Upon the fourth day of the assassination, a party of the police came, very unexpectedly, into the house, and proceeded again to make rigorous investigation of the premises. Secure, however, in the inscrutability of my place of concealment, I felt no embarrassment whatever. The officers bade me accompany them in their search. They left no nook or corner unexplored. At length, for the third or fourth time, they descended into the cellar. I quivered not in a muscle. My heart beat calmly as that of one who slumbers in innocence. I walked the cellar from end to end. I folded my arms upon my bosom, and roamed easily to and fro. The police were thoroughly satisfied, and prepared to depart. The glee at my heart was too strong to be restrained. I burned to say if but one word, by way of triumph, and to render doubly sure their assurance of my guiltlessness.

"Gentlemen," I said at last, as the party ascended

keit meines früheren Zornes erschreckt worden und vermied es, sich in meiner gegenwärtigen Stimmung zu zeigen. Es ist unmöglich, das tiefe, das glückselige Gefühl der Erleichterung zu beschreiben oder sich vorzustellen, welches die Abwesenheit des verhaßten Geschöpfes in meiner Brust bewirkte. Der Kater erschien die ganze Nacht nicht; und so schlief ich zumindest eine einzige Nacht tief und ruhig, seit ich ihn ins Haus gebracht hatte; jawohl, ich schlief, obgleich ein Mord auf meiner Seele lastete.

Der zweite und der dritte Tag vergingen, und immer noch kam mein Peiniger nicht. Ich atmete wieder als ein freier Mann. Das Ungeheuer war voller Entsetzen für immer von dem Anwesen geflohen! Ich würde es nie mehr erblicken! Meine Freude war grenzenlos. Die Schuld, die ich mit meiner finsteren Tat auf mich geladen hatte, beunruhigte mich nur wenig. Einige spärliche Nachfragen waren erfolgt, aber mit Leichtigkeit beantwortet worden. Auch eine Suche war angeordnet worden – aber selbstverständlich war nichts zu finden gewesen. Ich hielt mein künftiges Glück für gesichert.

Am vierten Tag nach der Ermordung kam ganz unerwartet ein Trupp Polizeibeamte ins Haus und machte sich noch einmal daran, das Anwesen gründlich zu durchsuchen. Da ich jedoch von der Unentdeckbarkeit meines Versteckes überzeugt war, empfand ich keinerlei Verlegenheit. Die Beamten befahlen mir, sie auf ihrer Suche zu begleiten. Sie ließen keine Ecke und keinen Winkel unerforscht. Schließlich stiegen sie zum dritten oder vierten Mal in den Keller hinab. Nicht ein einziger Muskel zuckte an mir. Mein Herz schlug so ruhig wie bei jemandem, der in unschuldigem Schlummer liegt. Ich durchmaß den Keller von einem Ende bis zum anderen. Ich verschränkte die Arme auf der Brust und schlenderte ungezwungen hin und her. Die Polizisten waren vollständig zufriedengestellt und trafen Anstalten fortzugehen. Das Frohlocken in meinem Herzen war zu stark, als daß es sich hätte unterdrücken lassen. Ich brannte darauf, nur ein einziges Wort des Triumphes zu äußern und sie doppelt sicher zu machen, daß ich unschuldig war.

«Meine Herren», sagte ich endlich, als die Polizisten die

the steps, "I delight to have allayed your suspicions. I wish you all health, and a little more courtesy. By-the-by, gentlemen, this – this is a very well-constructed house." (In the rabid desire to say something easily, I scarcely knew what I uttered at all.) "I may say an *excellently* well-constructed house. These walls – are you going, gentlemen? – these walls are solidly put together"; and here, through the mere frenzy of bravado, I rapped heavily, with a cane which I held in my hand, upon that very portion of the brickwork behind which stood the corpse of the wife of my bosom.

But may God shield and deliver me from the fangs of the Arch-Fiend! No sooner had the reverberation of my blows sunk into silence, than I was answered by a voice from within the tomb! – by a cry, at first muffled and broken, like the sobbing of a child, and then quickly swelling into one long, loud, and continuous scream, utterly anomalous and inhuman – a howl – a wailing shriek, half of horror and half of triumph, such as might have arisen only out of hell, conjointly from the throats of the damned in their agony and of the demons that exult in the damnation.

Of my own thoughts it is folly to speak. Swooning, I staggered to the opposite wall. For one instant the party upon the stairs remained motionless, through extremity of terror and of awe. In the next, a dozen stout arms were toiling at the wall. It fell bodily. The corpse, already greatly decayed and clotted with gore, stood erect before the eyes of the spectators. Upon its head, with red extended mouth and solitary eye of fire, sat the hideous beast whose craft had seduced me into murder, and whose informing voice had consigned me to the hangman. I had walled the monster up within the tomb!

Treppe hinaufstiegen, «ich freue mich, daß ich Ihren Verdacht zerstreuen konnte. Ich wünsche Ihnen allen Gesundheit und ein wenig mehr Höflichkeit. Im übrigen, meine Herren, ist dies – ist dies ein sehr solide gebautes Haus» (in dem rasenden Verlangen, mich ungezwungen zu äußern, wußte ich kaum, was ich überhaupt sagte), – «ich darf wohl sagen, ein äußerst solide gebautes Haus. Diese Wände – gehen Sie schon, meine Herren? – diese Wände sind fest zusammengefügt.» Und an diesem Punkt schlug ich in prahlerischem Wahn heftig mit dem Gehstock, den ich in der Hand hielt, genau gegen den Teil des Mauerwerks, hinter dem der Leichnam derjenigen stand, welche die Frau meines Herzens gewesen war.

Doch möge Gott mich schützen und erretten aus den Fängen des Teufels! Kaum war nach dem Widerhall meiner Schläge Stille eingetreten, als mir eine Stimme aus dem Grab antwortete! – ein Schluchzen, zuerst erstickt und abgerissen, wie das Weinen eines Kindes, das rasch anschwoll zu einem langen, lauten und anhaltenden, völlig unnatürlichen und unmenschlichen Schrei – einem Heulen – einem klagenden Kreischen, in dem Entsetzen und Triumph sich mischten, wie es nur aus der Hölle emporsteigen konnte, aus den Kehlen der Verdammten in ihrer Qual und der bösen Geister, welche die Verdammnis bejubeln.

Narrheit wäre es, von meinen eigenen Gedanken zu sprechen. Einer Ohnmacht nahe taumelte ich zur gegenüberliegenden Wand. Einen Augenblick lang ließen übergroßes Grauen und Entsetzen die Polizisten auf der Treppe bewegungslos verharren. In der nächsten Sekunde bearbeitete ein Dutzend kräftiger Fäuste die Wand. Sie fiel in einem Stück zu Boden. Der bereits stark verweste, mit Klumpen geronnenen Blutes bedeckte Leichnam stand aufrecht vor den Augen der Betrachter. Auf seinem Haupte saß mit rotem, aufgerissenem Maul und einem einzigen Auge aus Feuer das gräßliche Tier, dessen listenreiche Kunst mich zum Mord verleitet und dessen verräterische Stimme mich dem Henker ausgeliefert hatte. Ich hatte das Ungeheuer im Grab eingemauert!

The "Red Death" had long devastated the country. No pestilence had ever been so fatal, or so hideous. Blood was its Avatar and its seal – the redness and the horror of blood. There were sharp pains, and sudden dizziness, and then profuse bleeding at the pores, with dissolution. The scarlet stains upon the body and especially upon the face of the victim, were the pest ban which shut him out from the aid and from the sympathy of his fellow-men. And the whole seizure, progress and termination of the disease, were the incidents of half an hour.

But the Prince Prospero was happy and dauntless and sagacious. When his dominions were half depopulated, he summoned to his presence a thousand hale and light-hearted friends from among the knights and dames of his court, and with these retired to the deep seclusion of one of his castellated abbeys. This was an extensive and magnificent structure, the creation of the prince's own eccentric yet august taste. A strong and lofty wall girdled it in. This wall had gates of iron. The courtiers, having entered, brought furnaces and massy hammers and welded the bolts. They resolved to leave means neither of ingress or egress to the sudden impulses of despair or of frenzy from within. The abbey was amply provisioned. With such precautions the courtiers might bid defiance to contagion. The external world could take care of itself. In the meantime it was folly to grieve, or to think. The prince had provided all the appliances of pleasure. There were buffoons, there were improvisatori, there were ballet-dancers, there were musicians, there was Beauty, there was wine. All these and security were within. Without was the "Red Death."

136 It was toward the close of the fifth or sixth
137 month of his seclusion, and while the pestilence

Die Maske des Roten Todes

Der Rote Tod hatte lange Zeit das Land verheert. Keine Seuche war jemals so vernichtend und so gräßlich gewesen. Blut war ihr Wahrzeichen und Siegel – entsetzlich rotes Blut. Heftiger Schmerz stellte sich ein, plötzlicher Schwindel – und dann rann Blut aus den Poren, und der Tod trat ein. Die scharlachroten Flecken auf dem Körper und besonders auf dem Gesicht waren der Bannstrahl der Seuche, die das Opfer ausschlossen von der Hilfe und dem Mitleid seiner Mitmenschen. Ausbruch, Fortgang und Ende der Krankheit waren zusammengenommen das Geschehen einer halben Stunde.

Aber Fürst Prospero war glücklich und furchtlos und scharfsinnig. Als sein Herrschaftsbereich halb entvölkert war, rief er tausend gesunde und sorglose Freunde unter den Herren und Damen seines Hofes zu sich und zog sich mit ihnen in die tiefe Abgeschiedenheit eines seiner burgartigen Klöster zurück. Es handelte sich um ein ausgedehntes und großartiges Bauwerk, nach des Fürsten exzentrischem und doch majestätischem Geschmack geschaffen.

Eine feste, hoch aufragende Mauer umgab es. Diese Mauer hatte Pforten aus Eisen. Nachdem die Höflinge hineingegangen waren, holten sie Öfen und schwere Hämmer herbei und verschweißten die Riegel. Sie beschlossen, plötzlichen Anfällen von Verzweiflung oder Raserei weder die Möglichkeit des Hinein- noch des Hinauskommens zu lassen. Das Kloster war reich mit Vorräten ausgestattet. Mit solchen Vorkehrungen konnten die Höflinge der Ansteckung trotzen. Die Welt außerhalb mochte sehen, wie sie zurechtkam. Einstweilen war es Unsinn, zu trauern oder nachzudenken. Der Fürst hatte für jeglichen Bedarf an Vergnügungen vorgesorgt. Es waren Spaßmacher da, Stegreifkünstler, Ballettänzer, Musiker; Schönheit war da und Wein. All dieses und Sicherheit gab es drinnen. Draußen gab es den Roten Tod.

Es geschah gegen Ende des fünften oder sechsten Monats seiner Abgeschiedenheit, während die Seuche überall am

raged most furiously abroad, that the Prince Prospero entertained his thousand friends at a masked ball of the most unusual magnificence.

It was a voluptuous scene, that masquerade. But first let me tell of the rooms in which it was held. There were seven – an imperial suite. In many palaces, however, such suites form a long and straight vista, while the folding doors slide back nearly to the walls on either hand, so that the view of the whole extent is scarcely impeded. Here the case was very different; as might have been expected from the duke's love of the *bizarre*. The apartments were so irregularly disposed that the vision embraced but little more than one at a time. There was a sharp turn at every twenty or thirty yards, and at each turn a novel effect. To the right and left, in the middle of each wall, a tall and narrow Gothic window looked out upon a closed corridor which pursued the windings of the suite. These windows were of stained glass whose color varied in accordance with the prevailing hue of the decorations of the chamber into which it opened. That at the eastern extremity was hung, for example, in blue – and vividly blue were its windows. The second chamber was purple in its ornaments and tapestries, and here the panes were purple. The third was green throughout, and so were the casements. The fourth was furnished and lighted with orange – the fifth with white – the sixth with violet. The seventh apartment was closely shrouded in black velvet tapestries that hung all over the ceiling and down the walls, falling in heavy folds upon a carpet of the same material and hue. But in this chamber only, the color of the windows failed to correspond with the decorations. The panes here were scarlet – a deep blood color. Now in no one of
138 the seven apartments was there any lamp or can-
139 delabrum, amid the profusion of golden ornaments

schlimmsten wütete, daß Fürst Prospero seine tausend Freunde zu einem außergewöhnlich prunkvollen Maskenball lud.

Sie bot ein sinnenfreudiges Bild, diese Maskerade. Aber lassen Sie mich zunächst von den Räumen berichten, in denen sie stattfand. Es waren ihrer sieben – eine herrscherliche Zimmerflucht. In vielen Palästen nun bilden solche Fluchten eine lange, gerade Perspektive, während die Falttüren auf beiden Seiten fast bis an die Wände zurückgleiten, so daß der Blick auf den gesamten Bereich kaum beeinträchtigt wird. Hier verhielt es sich ganz anders, was bei der Vorliebe des Fürsten für das Bizarre zu erwarten gewesen war. Die Räume waren so unregelmäßig angeordnet, daß der Blick wenig mehr als einen einzigen zu gleicher Zeit umfaßte. Alle zwanzig oder dreißig Yards gab es eine scharfe Biegung, und an jeder Biegung einen ganz neuen Eindruck.

Zur Rechten wie zur Linken sah inmitten jeder Wand ein hohes und schmales gotisches Fenster hinaus auf einen geschlossenen Gang, der den Windungen der Zimmerflucht folgte. Diese Fenster waren aus buntem Glas, dessen unterschiedliche Farben jeweils übereinstimmten mit dem vorherrschenden Ton der Ausstattung des Raumes, in den sich das Fenster öffnete. Derjenige am östlichen Ende, beispielsweise, war in Blau verhängt – und leuchtend blau waren seine Fenster. Der zweite Raum hatte purpurroten Zierrat und Wandbehang, und hier waren die Scheiben purpurrot. Der dritte war ganz in Grün gehalten, und von dieser Farbe waren auch die Fenster. Der vierte hatte eine orangefarbene Einrichtung und Beleuchtung – der fünfte eine weiße – der sechste eine violette. Der siebte Raum war dicht verhüllt mit schwarzen Samtbehängen, die sich über die ganze Decke und die Wände hinab erstreckten und in schweren Falten auf einen Teppich von gleichem Material und gleicher Farbe fielen. Einzig in diesem Raum entsprach die Farbe der Fenster nicht der Ausstattung. Hier waren die Scheiben scharlachrot – in der satten Farbe des Blutes. Nun gab es in keinem dieser sieben Räume eine Lampe oder einen Kandelaber zwischen der ver-

that lay scattered to and fro or depended from the
roof. There was no light of any kind emanating
from lamp or candle within the suite of chambers.
But in the corridors that followed the suite, there
stood, opposite to each window, a heavy tripod,
bearing a brazier of fire that projected its rays
through the tinted glass and so glaringly illumined
the room. And thus were produced a multitude of
gaudy and fantastic appearances. But in the western
or black chamber the effect of the fire-light that
streamed upon the dark hangings through the blood-
tinted panes, was ghastly in the extreme, and produced so wild a look upon the countenances of those
who entered, that there were few of the company
bold enough to set foot within its precincts at all.

It was in this apartment, also, that there stood
against the western wall, a gigantic clock of ebony. Its pendulum swung to and fro with a dull,
heavy, monotonous clang; and when the minute-
hand made the circuit of the face, and the hour was
to be stricken, there came from the brazen lungs
of the clock a sound which was clear and loud and
deep and exceedingly musical, but of so peculiar a
note and emphasis that, at each lapse of an hour,
the musicians of the orchestra were constrained to
pause, momentarily, in their performance, to har-
ken to the sound, and thus the waltzers perforce
ceased their evolutions; and there was a brief disconcert of the whole gay company; and, while the
chimes of the clock yet rang, it was observed that
the giddiest grew pale, and the more aged and
sedate passed their hands over their brows as if
in confessed reverie or meditation. But when the
echoes had fully ceased, a light laughter at once
pervaded the assembly; the musicians looked at
each other and smiled as if at their own nervous-
140 ness and folly, and made whispering vows, each to
141 the other, that the next chiming of the clock should

schwenderischen Fülle an goldenem Zierrat, der überall verstreut lag oder von der Decke herabhing. Keinerlei Licht ging von einer Lampe oder Kerze innerhalb der Zimmerflucht aus. Doch in den Gängen, die ihr folgten, stand vor jedem Fenster ein schwerer Dreifuß mit einem lodernden Kohlebecken darauf, das seine Strahlen durch das gefärbte Glas warf und so den Raum grell erleuchtete. Auf diese Weise wurde eine Vielzahl auffälliger und phantastischer Erscheinungen hervorgerufen. Im westlichen oder schwarzen Raum allerdings war die Wirkung des Feuerscheins, der durch die blutgefärbten Scheiben auf die schwarzen Drapierungen fiel, in höchstem Maße gespenstisch; sie gab den Gesichtern der Eintretenden ein so wildes Aussehen, daß nur wenige aus der Gesellschaft kühn genug waren, ihren Fuß auch nur in die Nähe zu setzen.

In eben diesem Raum stand an der westlichen Wand eine riesige Uhr aus Ebenholz. Ihr Pendel schwang mit einem dumpfen, schweren, eintönigen Klang hin und her; und wenn der Minutenzeiger den Kreis auf dem Ziffernblatt vollendete und die Stunde geschlagen werden sollte, dann kam aus den bronzenen Lungen der Uhr ein Ton, der klar und laut und tief und überaus melodisch war, aber von so eigentümlichem Klang und Nachdruck, daß die Musiker des Orchesters nach jeder verstrichenen Stunde gezwungen waren, einen Augenblick in ihrer Darbietung innezuhalten, um auf den Ton zu horchen, und so die Tanzenden notgedrungen mit ihren Bewegungen aufhörten; und es ergab sich eine kurze Verlegenheit in der ganzen ausgelassenen Gesellschaft; und während die Schläge der Uhr noch erklangen, war zu bemerken, daß die Leichtfertigsten bleich wurden, und die Älteren und Ernsteren fuhren sich mit der Hand über die Stirn, als ob sie ein Träumen oder Sinnen bekunden wollten.

Aber wenn das Echo völlig verhallt war, ging sofort ein helles Lachen durch die ganze Versammlung; die Musiker sahen sich an und lächelten – wie über ihre eigene törichte Unruhe – und schworen einander flüsternd, daß das nächste Schlagen der Uhr nicht eine solche Empfindung in

produce in them no similar emotion; and then, after the lapse of sixty minutes, (which embrace three thousand and six hundred seconds of the Time that flies,) there came yet another chiming of the clock, and then were the same disconcert and tremulousness and meditation as before.

But, in spite of these things, it was a gay and magnificent revel. The tastes of the duke were peculiar. He had a fine eye for colors and effects. He disregarded the *decora* of mere fashion. His plans were bold and fiery, and his conceptions glowed with barbaric lustre. There are some who would have thought him mad. His followers felt that he was not. It was necessary to hear and see and touch him to be *sure* that he was not.

He had directed, in great part, the moveable embellishments of the seven chambers, upon occasion of this great *fête*; and it was his own guiding taste which had given character to the masqueraders. Be sure they were grotesque. There were much glare and glitter and piquancy and phantasm – much of what has been since seen in "Hernani." There were arabesque figures with unsuited limbs and appointments. There were delirious fancies such as the madman fashions. There was much of the beautiful, much of the wanton, much of the *bizarre*, something of the terrible, and not a little of that which might have excited disgust. To and fro in the seven chambers there stalked, in fact, a multitude of dreams. And these – the dreams – writhed in and about, taking hue from the rooms, and causing the wild music of the orchestra to seem as the echo of their steps. And, anon, there strikes the ebony clock which stands in the hall of the velvet. And then, for a moment, all is still, and all is silent save the voice of the clock. The dreams are stiff-frozen as they stand. But the echoes of the chime die away – they have endured but an instant – and a

ihnen hervorrufen sollte; und nachdem dann sechzig Minuten verstrichen waren (die dreitausendsechshundert Sekunden der eilenden Zeit umfassen), ertönte ein weiteres Schlagen der Uhr, und in gleicher Weise wie zuvor stellten sich Verlegenheit und Schauder und Nachsinnen ein.

Aber trotz dieser Dinge war es eine ausgelassene und großartige Lustbarkeit. Die Neigungen des Fürsten waren einzigartig. Er hatte ein gutes Auge für Farben und Wirkungen. Was modische Etikette vorschrieb, beachtete er nicht. Aus seinen Plänen sprach Kühnheit und Feuer, und in seinen Ideen schimmerte ein wilder Glanz. Es gibt einige, die ihn für wahnsinnig halten würden. Sein Gefolge hatte das Gefühl, daß er es nicht war. Es war notwendig, ihn zu hören und zu sehen und zu berühren, um sicher zu sein, daß er es nicht war.

Er hatte größtenteils selbst angeordnet, womit die sieben Räume aus Anlaß dieses prächtigen Festes ausgestattet und geschmückt werden sollten; und seine eigenen Neigungen hatten maßgeblich den Charakter der Masken bestimmt. Ich versichere Ihnen: sie waren grotesk. Es gab da viel Glänzendes und Funkelndes und Pikantes und Trügerisches – vieles davon war seither in «Hernani» zu sehen. Es gab arabeskenhafte Figuren mit nicht zueinander passenden Gliedern und unpassendem Zubehör. Es gab wahnhafte Phantasien, etwa die Gestalten von Irren. Es gab viel Schönes, viel Lüsternes, viel Bizarres, ein wenig Entsetzliches und nicht wenig von dem, was Abscheu erregt haben könnte. In den sieben Räumen schritten in der Tat eine Vielzahl von Träumen hin und her. Und diese – die Träume – schwangen sich hinein und herum, nahmen die Farbe der Räume an und bewirkten, daß die wilde Musik des Orchesters wie das Echo ihrer Schritte erschien.

Und wiederum schlägt die Ebenholzuhr, die in dem samtverhangenen Raum steht. Da ist einen Augenblick lang alles ruhig und alles still außer der Stimme der Uhr. Die Träume sind erstarrt, so wie sie gerade gestanden haben. Doch das Echo des Schlages erstirbt – es hat nur einen kurzen Moment gedauert –, und ein

light, half-subdued laughter floats after them as they depart. And now again the music swells, and the dreams live, and writhe to and fro more merrily than ever, taking hue from the many tinted windows through which stream the rays from the tripods. But to the chamber which lies most westwardly of the seven, there are now none of the maskers who venture; for the night is waning away; and there flows a ruddier light through the blood-colored panes; and the blackness of the sable drapery appals; and to him whose foot falls upon the sable carpet, there comes from the near clock of ebony a muffled peal more solemnly emphatic than any which reaches *their* ears who indulge in the more remote gaieties of the other apartments.

But these other apartments were densely crowded, and in them beat feverishly the heart of life. And the revel went whirlingly on, until at length there commenced the sounding of midnight upon the clock. And then the music ceased, as I have told; and the evolutions of the waltzers were quieted; and there was an uneasy cessation of all things as before. But now there were twelve strokes to be sounded by the bell of the clock; and thus it happened, perhaps, that more of thought crept, with more of time, into the meditations of the thoughtful among those who revelled. And thus, too, it happened, perhaps, that before the last echoes of the last chime had utterly sunk into silence, there were many individuals in the crowd who had found leisure to become aware of the presence of a masked figure which had arrested the attention of no single individual before. And the rumor of this new presence having spread itself whisperingly around, there arose at length from the whole company a buzz, or murmur, expressive of disapprobation and surprise – then, finally, of terror, of horror, and of disgust.

helles, halb unterdrücktes Lachen schwebt hinter ihm her, indem es sich entfernt. Und nun schwillt die Musik wieder an, und die Träume werden wieder lebendig; sie schwingen fröhlicher hin und her als je zuvor und nehmen die Farben der vielen gefärbten Fenster an, durch welche die Strahlen von den Dreifüßen fallen. Aber in den Raum, der von den sieben am westlichsten liegt, wagen sich nun keine Masken mehr hinein; denn der Abend geht dahin, und durch die blutgefärbten Scheiben strömt ein noch roteres Licht; die Finsternis der schwarzen Draperien ist erschreckend; und denjenigen, der seinen Fuß auf den schwarzen Teppich setzt, erreicht ein ersticktes Dröhnen von der nahen Ebenholzuhr mit feierlicherem Nachdruck, als es an die Ohren derer dringt, die den entfernteren Vergnügungen in den anderen Räumen frönen.

In den anderen Räumen jedoch drängte sich eine dichte Menge, und in diesen Räumen schlug fieberhaft das Herz des Lebens. Der Trubel und Wirbel des Festes ging weiter, bis endlich die Uhr Mitternacht zu schlagen begann. Da hörte die Musik auf, wie ich berichtet habe; die Drehungen der Tänzer kamen zu einem Stillstand; und alle Bewegungen fanden ein unbehagliches Ende wie zuvor.

Aber diesmal waren es zwölf Schläge, welche die Glocke in der Uhr ertönen ließ; und deshalb geschah es vielleicht, daß mit mehr Zeit sich auch mehr Gedanken in das Sinnen der Nachdenklichen unter den Feiernden stahlen. Und so geschah es vielleicht auch, daß – bevor noch das allerletzte Echo des letzten Schlages vollständig verstummt war – es viele in der Menge gab, welche so viel Muße gefunden hatten, daß sie sich der Gegenwart einer maskierten Gestalt bewußt wurden, die vorher keinen einzigen Teilnehmers Aufmerksamkeit auf sich gezogen hatte. Und als sich das Gerücht von dieser neuen Erscheinung flüsternd verbreitet hatte, erhob sich schließlich aus der ganzen Gesellschaft ein Geraune, ein Gemurmel, das Ablehnung und Überraschung ausdrückte – und am Ende dann Schrecken, Entsetzen und Abscheu.

In an assembly of phantasms such as I have painted, it may well be supposed that no ordinary appearance could have excited such sensation. In truth the masquerade license of the night was nearly unlimited; but the figure in question had out-Heroded Herod, and gone beyond the bounds of even the prince's indefinite decorum. There are chords in the hearts of the most reckless which cannot be touched without emotion. Even with the utterly lost, to whom life and death are equally jests, there are matters of which no jest can be made. The whole company, indeed, seemed now deeply to feel that in the costume and bearing of the stranger neither wit nor propriety existed. The figure was tall and gaunt, and shrouded from head to foot in the habiliments of the grave. The mask which concealed the visage was made so nearly to resemble the countenance of a stiffened corpse that the closest scrutiny must have had difficulty in detecting the cheat. And yet all this might have been endured, if not approved, by the mad revellers around. But the mummer had gone so far as to assume the type of the Red Death. His vesture was dabbled in *blood* – and his broad brow, with all the features of the face, was besprinkled with the scarlet horror.

When the eyes of Prince Prospero fell upon this spectral image (which with a slow and solemn movement, as if more fully to sustain its *rôle*, stalked to and fro among the waltzers) he was seen to be convulsed, in the first moment with a strong shudder either of terror or distaste; but, in the next, his brow reddened with rage.

"Who dares?" he demanded hoarsely of the courtiers who stood near him – "who dares insult us with this blasphemous mockery? Seize him and
146 unmask him – that we may know whom we have
147 to hang at sunrise, from the battlements!"

Man wird mit Recht annehmen, daß in einer Versammlung von Truggestalten, wie ich sie geschildert habe, eine solche Empfindung durch keinen gewöhnlichen Auftritt hätte hervorgerufen werden können. Die Freiheit der Maskierung war an diesem Abend wahrhaftig fast unbeschränkt; doch die fragliche Gestalt war noch mehr Herodes gewesen als Herodes selbst und hatte sogar die Grenzen der nicht eingeengten fürstlichen Etikette überschritten. Die leichtfertigsten Menschen haben in ihrem Inneren Saiten, die nicht berührt werden dürfen, ohne daß Gefühle entstehen. Auch für die gänzlich Verlorenen, denen Leben wie Tod ein Scherz sind, gibt es Dinge, über die sich nicht scherzen läßt. Die ganze Gesellschaft schien nun in der Tat das tiefe Empfinden zu haben, daß im Maskenkostüm und im Betragen des Fremden weder Witz noch Anstand zu erkennen waren. Die Gestalt war groß und hager und von Kopf bis Fuß in Grabgewänder gehüllt. Die Maske, die das Gesicht verdeckte, war so gefertigt, daß sie einem starren Leichnam dermaßen ähnelte, daß selbst eine ganz genaue Untersuchung mit der Aufdeckung des Betruges Schwierigkeiten gehabt hätte. Und doch wäre dies alles wenn nicht gutzuheißen, so doch zu ertragen gewesen für die wahnwitzig Feiernden ringsum. Aber der Vermummte war so weit gegangen, das Aussehen des Roten Todes anzunehmen. Sein Gewand war mit Blut benetzt – und seine breite Stirn wie auch das ganze Gesicht waren mit dem scharlachroten Schrecken bespritzt.

Als die Augen des Fürsten Prospero auf diese geisterhafte Figur fielen (die, offenbar um ihre Rolle möglichst gut zu spielen, mit langsamen und feierlichen Bewegungen zwischen den Tänzern hin und herschritt), sah man ihn im ersten Augenblick vor Entsetzen oder vor Ekel zusammenschaudern; aber im nächsten Augenblick wurde seine Stirn rot vor Zorn.

«Wer wagt es?» verlangte er mit rauher Stimme von den Höflingen zu wissen, die in seiner Nähe standen, «Wer wagt es, uns mit diesem lästerlichen Hohn zu beleidigen? Ergreift ihn und nehmt ihm die Maske ab – damit wir wissen, wen wir bei Sonnenaufgang an den Zinnen aufzuhängen haben!»

It was in the eastern or blue chamber in which stood the Prince Prospero as he uttered these words. They rang throughout the seven rooms loudly and clearly – for the prince was a bold and robust man, and the music had become hushed at the waving of his hand.

It was in the blue room where stood the prince, with a group of pale courtiers by his side. At first, as he spoke, there was a slight rushing movement of this group in the direction of the intruder, who at the moment was also near at hand, and now, with deliberate and stately step, made closer approach to the speaker. But from a certain nameless awe with which the mad assumptions of the mummer had inspired the whole party, there were found none who put forth hand to seize him; so that, unimpeded, he passed within a yard of the prince's person; and, while the vast assembly, as if with one impulse, shrank from the centres of the rooms to the walls, he made his way uninterruptedly, but with the same solemn and measured step which had distinguished him from the first, through the blue chamber to the purple – through the purple to the green – through the green to the orange – through this again to the white – and even thence to the violet, ere a decided movement had been made to arrest him. It was then, however, that the Prince Prospero, maddening with rage and the shame of his own momentary cowardice, rushed hurriedly through the six chambers, while none followed him on account of a deadly terror that had seized upon all. He bore aloft a drawn dagger, and had approached in rapid impetuosity, to within three or four feet of the retreating figure, when the latter, having attained the extremity of the velvet apartment, turned suddenly and confronted his pursuer.
148 There was a sharp cry – and the dagger dropped
149 gleaming upon the sable carpet, upon which, in-

Fürst Prospero stand im östlichen oder blauen Zimmer, als er diese Worte äußerte. Sie ertönten laut und klar durch sämtliche sieben Räume – denn der Fürst war ein kühner und kraftvoller Mann, und die Musik war durch eine Handbewegung von ihm zum Schweigen gebracht worden.

Der Fürst stand im blauen Zimmer, eine Gruppe von bleichen Höflingen zur Seite. Als er sprach, erfolgte zunächst eine leichte, rasche Bewegung dieser Gruppe in Richtung auf den Eindringling zu, der sich in diesem Augenblick ebenfalls in der Nähe befand und nun mit überlegtem und majestätischem Schritt näher an den Sprecher heranging. Aber wegen eines gewissen namenlosen Grauens, mit dem die wahnwitzigen Anmaßungen des Vermummten die ganze Gesellschaft erfüllt hatten, fand sich keiner, der die Hand ausstreckte, um ihn zu ergreifen, so daß er ungehindert im Abstand von einem Yard an der Person des Fürsten vorüberging; und während die riesige Festversammlung wie aus einem einzigen Antrieb heraus von der Mitte der Räume an die Wände zurückwich, ging er ohne Unterbrechung und immer mit dem feierlichen und gemessenem Schritt, der ihm von Anfang an eigen gewesen war, aus dem blauen Raum in den purpurroten – durch den purpurroten in den grünen – durch den grünen in den orangefarbenen – wiederum durch diesen in den weißen – und auch von dort noch in den violetten, ohne daß jemand eine entschlossene Bewegung gemacht hätte, ihn festzuhalten. Da jedoch stürzte Fürst Prospero, der vor Zorn und Scham über seine eigene momentane Feigheit außer sich geraten war, hastig durch die sechs Räume, wobei niemand ihm folgte, weil tödlicher Schrecken alle ergriffen hatte. Hoch in der Hand hielt der Fürst einen gezückten Dolch; er hatte sich in fliegender Eile der entweichenden Gestalt auf drei oder vier Fuß genähert, als letztere, welche den entferntesten, samtenen Raum erreicht hatte, sich plötzlich umdrehte und ihrem Verfolger gegenüberstand. Ein durchdringender Schrei ertönte – und der Dolch fiel blitzend auf den schwar-

stantly afterwards, fell prostrate in death the Prince Prospero. Then, summoning the wild courage of despair, a throng of the revellers at once threw themselves into the black apartment, and, seizing the mummer, whose tall figure stood erect and motionless within the shadow of the ebony clock, gasped in unutterable horror at finding the grave cerements and corpselike mask which they handled with so violent a rudeness, untenanted by any tangible form.

And now was acknowledged the presence of the Red Death. He had come like a thief in the night. And one by one dropped the revellers in the blood-bedewed halls of their revel, and died each in the despairing posture of his fall. And the life of the ebony clock went out with that of the last of the gay. And the flames of the tripods expired. And Darkness and Decay and the Red Death held illimitable dominion over all.

zen Teppich, auf den unmittelbar danach auch Fürst Prospero tot hinstürzte. Da drängten sich mit dem wilden Mut der Verzweiflung viele der Feiernden gleichzeitig in den schwarzen Raum, ergriffen den Vermummten, dessen hohe Gestalt aufrecht und bewegungslos im Schatten der Ebenholzuhr stand, – und rangen in unaussprechlichem Schrecken nach Atem, als sie entdeckten, daß Grabgewänder und Totenmaske, die sie so heftig und grob anfaßten, keinerlei greifbare Figur enthielten.

Nun wurde die Gegenwart des Roten Todes erkannt. Er war gekommen wie ein Dieb in der Nacht. Die Feiernden stürzten einer nach dem anderen in den blutbefleckten Räumen ihres Festes zu Boden, und jeder starb in der verzweifelten Stellung, in der er gefallen war. Das Leben der Ebenholzuhr ging mit dem Leben des letzten der Ausgelassenen zu Ende. Die Flammen der Dreifüße erloschen. Finsternis und Fäulnis und der Rote Tod herrschten ohne Einschränkung über alles.

> And the will therein lieth, which dieth not. Who knoweth the mysteries of the will, with its vigour? For God is but a great will pervading all things by nature of its intentness. Man doth not yield himself to the angels, nor unto death utterly, save only through the weakness of his feeble will.
>
> Joseph Glanvill

I cannot, for my soul, remember how, when, or even precisely where, I first became acquainted with the Lady Ligeia. Long years have since elapsed, and my memory is feeble through much suffering. Or, perhaps, I cannot *now* bring these points to mind, because, in truth, the character of my beloved, her rare learning, her singular yet placid cast of beauty, and the thrilling and enthralling eloquence of her low musical language, made their way into my heart by paces so steadily and stealthily progressive that they have been unnoticed and unknown. Yet I believe that I met her first and most frequently in some large, old, decaying city near the Rhine. Of her family – I have surely heard her speak. That it is of a remotely ancient date cannot be doubted. Ligeia! Ligeia! Buried in studies of a nature more than all else adapted to deaden impressions of the outward world, it is by that sweet word alone – by Ligeia – that I bring before mine eyes in fancy the image of her who is no more. And now, while I write, a recollection flashes upon me that I have *never known* the paternal name of her who was my friend and my betrothed, and who became the partner of my studies, and finally the wife of my bosom. Was it a playful charge on the part of my Ligeia? or was it a test of my strength of affection, that I

> Und der Wille liegt darin, der nicht stirbt. Wer kennt die Geheimnisse des Willens und seine Stärke? Denn Gott ist nichts als ein großer Wille, der aufgrund seiner Entschlossenheit alle Dinge durchdringt. Der Mensch unterwirft sich nicht den Engeln noch dem Tode ganz, es sei denn durch die Schwäche seines kraftlosen Willens.
>
> Joseph Glanvill

Ich kann mich, bei meiner Seele, nicht daran erinnern, wie, wann oder auch nur wo genau ich Lady Ligeia kennenlernte. Lange Jahre sind seitdem vergangen, und großes Leid hat mein Gedächtnis geschwächt. Oder mir fallen diese Dinge vielleicht deshalb jetzt nicht ein, weil der Charakter meiner Geliebten, ihre seltene Bildung, die einzigartige und doch sanfte Natur ihrer Schönheit, der erregende und bezaubernde Fluß ihrer leisen, musikalischen Sprache mir in der Tat so allmählich und heimlich ins Herz drangen, daß sie unbemerkt und unerkannt geblieben sind. Aber ich glaube, daß ich ihr zuerst und am häufigsten in irgendeiner großen, alten, verfallenden Stadt nahe am Rhein begegnete. Über ihre Familie habe ich sie sicherlich sprechen hören. Daß diese uralten Ursprungs ist, unterliegt keinem Zweifel.

Ligeia! Ligeia! Vergraben in Forschungen von einer Art, die mehr als jede andere geeignet ist, die Eindrücke der äußeren Welt abzuschwächen, rufe ich mir allein durch dieses süße Wort – Ligeia – in meiner Phantasie das Bild derer vor Augen, die nicht mehr ist. Und während ich jetzt schreibe, durchzuckt mich wie ein Blitz der Gedanke, daß ich nie den Familiennamen derjenigen wußte, die meine Feundin und Verlobte war, die meine Partnerin bei meinen Forschungen wurde und schließlich die Frau meines Herzens. War es ein spielerischer Angriff von seiten meiner Ligeia? War es eine Probe auf die Stärke meiner Zuneigung, daß ich in diesem Punkt keine Erkundigungen einziehen sollte? Oder war es vielmehr

should institute no inquiries upon this point? or was it rather a caprice of my own – a wildly romantic offering on the shrine of the most passionate devotion? I but indistinctly recall the fact itself – what wonder that I have utterly forgotten the circumstances which originated or attended it? And, indeed, if ever that spirit which is entitled *Romance* – if ever she, the wan and the misty-winged *Ashtophet* of idolatrous Egypt, presided, as they tell, over marriages ill-omened, then most surely she presided over mine.

There is one dear topic, however, on which my memory fails me not. It is the *person* of Ligeia. In stature she was tall, somewhat slender, and, in her latter days, even emaciated. I would in vain attempt to portray the majesty, the quiet ease, of her demeanour, or the incomprehensible lightness and elasticity of her footfall. She came and departed as a shadow. I was never made aware of her entrance into my closed study save by the dear music of her low sweet voice, as she placed her marble hand upon my shoulder. In beauty of face no maiden ever equalled her. It was the radiance of an opium-dream – an airy and spirit-lifting vision more wildly divine than the phantasies which hovered about the slumbering souls of the daughters of Delos. Yet her features were not of that regular mould which we have been falsely taught to worship in the classical labours of the heathen. "There is no exquisite beauty," says Bacon, Lord Verulam, speaking truly of all the forms and *genera* of beauty, "without some *strangeness* in the proportion." Yet, although I saw that the features of Ligeia were not of a classic regularity – although I perceived that her loveliness was indeed "exquisite", and felt that there was much of "strangeness" pervading it, yet I have tried in vain to detect the irregularity and to trace home my own perception

eine Laune meinerseits – eine wildromantische Opfergabe auf dem Altar der leidenschaftlichsten Hingabe? Nur undeutlich kann ich mich an die Tatsache selbst erinnern – ist es darum ein Wunder, daß ich die Umstände, die sie hervorriefen oder begleiteten, vollkommen vergessen habe? Und fürwahr:

Wenn jemals der Geist, der als Romantik bezeichnet wird – wenn jemals sie, die bleiche, nebel-geflügelte Ashtophet des götzendienerischen Ägypten über Ehen mit böser Vorbedeutung herrschte, wie es heißt, so herrschte sie zweifellos über die meine.

Es gibt jedoch ein mir teures Thema, bei dem mein Gedächtnis mich nicht im Stich läßt. Das ist Ligeias Person. Von Gestalt war sie groß, ziemlich schlank und in ihren späteren Tagen sogar ausgezehrt. Ich würde vergeblich versuchen, die Majestät, die ruhige Ausgeglichenheit ihres Betragens zu schildern oder die unbegreifliche Leichtigkeit und Geschmeidigkeit ihres Ganges. Ligeia kam und ging wie ein Schatten. Daß sie die Tür geöffnet hatte und in mein Arbeitszimmer getreten war, merkte ich immer erst an der lieblichen Musik ihrer leisen, wohlklingenden Stimme, wenn sie ihre marmorgleiche Hand auf meine Schulter legte. An Schönheit des Gesichtes kam kein Mädchen ihr jemals gleich. Sie hatte den strahlenden Glanz eines Opiumtraumes – eine zarte, den Geist beflügelnde Vision von wilderer Göttlichkeit als die Phantasien, welche die schlummernden Seelen der Töchter von Delos umschwebten. Doch hatten ihre Gesichtszüge nicht jene regelmäßige Form, die an den klassischen Arbeiten der Heiden zu verehren man uns irrigerweise gelehrt hat. «Es gibt keine außergewöhnliche Schönheit», sagt Bacon, Lord Verulam, indem er zutreffend von allen Formen und Arten der Schönheit spricht, «ohne eine gewisse Seltsamkeit in den Proportionen.» Aber obgleich ich sah, daß Ligeias Gesichtszüge nicht die klassische Regelmäßigkeit aufwiesen – obgleich ich wahrnahm, daß ihr Liebreiz in der Tat «außergewöhnlich» war, und empfand, daß ihm viel «Seltsamkeit» innewohnte, versuchte ich vergebens, die Unregelmäßigkeit zu entdecken und meiner eigenen Wahr-

of "the strange". I examined the contour of the lofty and pale forehead – it was faultless – how cold indeed that word when applied to a majesty so divine! – the skin rivalling the purest ivory, the commanding extent and repose, the gentle prominence of the regions above the temples; and then the raven-black, the glossy, the luxuriant and naturally-curling tresses, setting forth the full force of the Homeric epithet, "hyacinthine"! I looked at the delicate outlines of the nose – and nowhere but in the graceful medallions of the Hebrews had I beheld a similar perfection. There were the same luxurious smoothness of surface, the same scarcely perceptible tendency to the aquiline, the same harmoniously curved nostrils speaking the free spirit. I regarded the sweet mouth. Here was indeed the triumph of all things heavenly – the magnificent turn of the short upper lip – the soft, voluptuous slumber of the under – the dimples which sported, and the colour which spoke – the teeth glancing back, with a brilliancy almost startling, every ray of the holy light which fell upon them in her serene and placid, yet most exultingly radiant of all smiles. I scrutinized the formation of the chin – and here, too, I found the gentleness of breadth, the softness and the majesty, the fullness and the spirituality, of the Greek – the contour which the god Apollo revealed but in a dream, to Cleomenes, the son of the Athenian. And then I peered into the large eyes of Ligeia.

For eyes we have no models in the remotely antique. It might have been, too, that in these eyes of my beloved lay the secret to which Lord Verulam alludes. They were, I must believe, far larger than the ordinary eyes of our own race. They were even fuller than the fullest of the gazelle eyes of
156 the tribe of the valley of Nourjahad. Yet it was
157 only at intervals – in moments of intense excite-

nehmung des «Seltsamen» auf den Grund zu kommen. Ich untersuchte den Umriß der hohen, bleichen Stirn (sie war makellos – doch fürwahr, welch kalter Begriff, wenn er auf eine so göttliche Majestät angewendet wird), die Haut, die mit reinstem Elfenbein wetteiferte, die herrscherliche Größe und Ausgewogenheit, den zarten Vorsprung des Bereiches über den Schläfen; und dann die rabenschwarzen, glänzenden, üppigen, von der Natur gelockten Flechten, die das homerische Epitheton «hyazinthenhaft» in seiner vollen Bedeutung veranschaulichten. Ich betrachtete die feinen Konturen der Nase – und nirgends außer auf den anmutigen Schaumünzen der Hebräer habe ich ähnliche Vollkommenheit erblickt: die gleiche verschwenderische Sanftheit des Äußeren, die gleiche, kaum wahrnehmbare Neigung zum Adlerartigen, die gleichen harmonisch geschwungenen Nasenflügel, die den freien Geist zum Ausdruck bringen.

Ich betrachtete den lieblichen Mund. Hier fand sich in der Tat der Triumph alles Himmlischen – die großartige Biegung der kurzen Oberlippe – der weiche, sinnliche Schlummer der Unterlippe – die scherzenden Grübchen und die beredte Farbe – die Zähne, die mit fast beunruhigendem Glanz jeden Schimmer des heiligen Lichtes zurückwarfen, das in Ligeias ruhigem, gelassenen und doch vor Jubel strahlenden Lächeln auf sie fiel. Ich prüfte die Form des Kinns – und auch hier entdeckte ich die Sanftheit in der Breite, die Weichheit und Majestät, die Fülle und die Geistigkeit der Griechen – den Umriß, den der Gott Apollo, in einem Traum nur, Kleomenes enthüllte, dem Sohn des Atheners. Und dann schaute ich in Ligeias schwarze Augen.

Für Augen haben wir keine Vorbilder in der fernen Antike. Es ist auch möglich, daß in den Augen meiner Geliebten das Geheimnis lag, auf das Lord Verulam anspielt. Ich muß annehmen, daß sie weit größer waren als normalerweise die Augen unserer Rasse. Sie waren sogar noch größer als die größten Augen der Gazellenart im Tale Nourjahad. Doch geschah es nur selten – in Augenblicken starker Erregung –, daß diese Besonderheit an Ligeia sich mehr als nur

ment – that this peculiarity became more than slightly noticeable in Ligeia. And at such moments was her beauty – in my heated fancy thus it appeared perhaps – the beauty of beings either above or apart from the earth – the beauty of the fabulous Houri of the Turk. The hue of the orbs was the most brilliant of black, and, far over them, hung jetty lashes of great length. The brows, slightly irregular in outline, had the same tint. The "strangeness", however, which I found in the eyes, was of a nature distinct from the formation, or the colour, or the brilliancy of the features, and must, after all, be referred to the *expression*. Ah, word of no meaning! behind whose vast latitude of mere sound we intrench our ignorance of so much of the spiritual. The expression of the eyes of Ligeia! How for long hours have I pondered upon it! How have I, through the whole of a midsummer night, struggled to fathom it! What was it – that something more profound than the well of Democritus – which lay far within the pupils of my beloved? What *was* it? I was possessed with a passion to discover. Those eyes! those large, those shining, those divine orbs! they became to me twin stars of Leda, and I to them devoutest of astrologers.

There is no point, among the many incomprehensible anomalies of the science of mind, more thrillingly exciting than the fact – never, I believe, noticed in the schools – that, in our endeavours to recall to memory something long forgotten, we often find ourselves *upon the very verge* of remembrance, without being able, in the end, to remember. And thus how frequently, in my intense scrutiny of Ligeia's eyes, have I felt approaching the full knowledge of their expression – felt it approaching – yet not quite be mine – and so at length entirely depart! And (strange, oh strangest mystery of all!) I found, in the commonest objects

ganz leicht bemerkbar machte. In solchen Augenblicken war ihre Schönheit – vielleicht schien es so in meiner erhitzten Phantasie – die Schönheit entweder überirdischer oder außerirdischer Wesen – die Schönheit der legendären türkischen Huri. Die Farbe ihrer Augen war ein leuchtendes Schwarz, und sehr lange, tiefschwarze Wimpern hingen weit über sie. Die Brauen, deren Form ein wenig unregelmäßig war, hatten dieselbe Färbung. Die «Seltsamkeit» jedoch, die ich in den Augen entdeckte, war von einer Art, die sich mit der Form, der Farbe oder dem Glanz des Äußeren nicht in Verbindung bringen ließ und folglich dem Ausdruck zugeschrieben werden muß. Ach, welch bedeutungsleeres Wort, hinter dessen bloßer Klangfülle sich unsere Unkenntnis so vieler geistiger Dinge verschanzt! Der Ausdruck von Ligeias Augen! Wie viele Stunden lang habe ich darüber nachgesonnen! Wie habe ich eine ganze Mittsommernacht lang mich darum bemüht, ihn zu ergründen! Was war es – dieses Etwas, das tiefer war als der Brunnen des Demokrit – das tief zuinnerst in den Pupillen meiner Geliebten lag? Was war es nur? Ich war besessen von der Leidenschaft, es herauszubekommen. Diese Augen! Diese großen, diese glänzenden, diese göttlichen Gestirne! Für mich waren sie Zwillingssterne der Leda, und ich war ihr andächtigster Astrologe.

Unter den vielen unverständlichen Anomalien der Geisteswissenschaft gibt es keinen aufregenderen Umstand als die Tatsache – die, wie ich glaube, in den Schulen noch nie zur Kenntnis genommen worden ist – daß wir bei unseren Bemühungen, uns an etwas lange Vergessenes zu erinnern, oft feststellen, daß wir unmittelbar davorstehen, ohne am Ende wirklich in der Lage zu sein, uns das Vergessene ins Gedächtnis zurückzurufen. Wie oft habe ich so in meiner eindringlichen Erforschung von Ligeias Augen das Gefühl gehabt, daß ich der vollen Bedeutung ihres Ausdrucks näherkam – daß sie mir näherkam – jedoch sich mir nicht ganz offenbarte – und schließlich vollends in die Ferne rückte! Und (seltsames, o seltsamstes aller Geheimnisse!) ich entdeckte in den gewöhnlichsten Gegenständen des Universums

of the universe, a circle of analogies to that expression. I mean to say that, subsequently to the period when Ligeia's beauty passed into my spirit, there dwelling as in a shrine, I derived, from many existences in the material world, a sentiment such as I felt always aroused within me by her large and luminous orbs. Yet not the more could I define that sentiment, or analyse, or even steadily view it. I recognized it, let me repeat, sometimes in the survey of a rapidly-growing vine – in the contemplation of a moth, a butterfly, a chrysalis, a stream of running water. I have felt it in the ocean; in the falling of a meteor. I have felt it in the glances of unusually aged people. And there are one or two stars in heaven – (one especially, a star of the sixth magnitude, double and changeable, to be found near the large star in Lyra) in a telescopic scrutiny of which I have been made aware of the feeling. I have been filled with it by certain sounds from stringed instruments, and not unfrequently by passages from books. Among innumerable other instances, I well remember something in a volume of Joseph Glanvill, which (perhaps merely from its quaintness – who shall say?) never failed to inspire me with the sentiment; – "And the will therein lieth, which dieth not. Who knoweth the mysteries of the will, with its vigour? For God is but a great will pervading all things by nature of its intentness. Man doth not yield him to the angels, nor unto death utterly, save only through the weakness of his feeble will."

Length of years, and subsequent reflection, have enabled me to trace, indeed, some remote connection between this passage in the English moralist and a portion of the character of Ligeia. An *intensity* in thought, action, or speech, was possibly, in her, a result, or at least an index, of that gigantic volition which, during our long intercourse, failed to give other and more immediate evidence of its existence.

einen Kreis von Analogien zu diesem Ausdruck. Damit meine ich, daß seit der Zeit, in der Ligeias Schönheit sich meines Geistes bemächtigt hatte und dort wie in einem Heiligtum wohnte, viele Lebensäußerungen in der materiellen Welt mir eine Empfindung vermittelten wie diejenige, die ihre großen, leuchtenden Augen in mir weckten. Doch konnte ich darum jene Empfindung nicht besser definieren, analysieren oder auch nur stetig wahrnehmen. Manchmal erkannte ich sie, wie gesagt, beim eingehenden Blick auf eine schnell wachsende Kletterpflanze – bei der Betrachtung eines Nachtfalters, eines Schmetterlings, einer Larve, eines fließenden Wasserstromes. Der Ozean hat diese Empfindung in mir hervorgerufen – das Fallen eines Meteors – die Blicke ungewöhnlich alter Menschen. Und es gibt ein oder zwei Sterne am Himmel (besonders einen Stern sechster Größe, einen veränderlichen Doppelstern nahe dem großen Stern in der Leier), bei deren teleskopischer Untersuchung mir dieses Gefühl bewußt wurde. Es hat mich durchdrungen bei bestimmten Tönen von Saiteninstrumenten und nicht selten bei Absätzen aus Büchern. Unter unzähligen anderen Beispielen erinnere ich mich gut an einen Abschnitt aus einem Buch Joseph Glanvills, der (vielleicht nur aufgrund seiner Absonderlichkeit – wer kann das sagen?) mich unfehlbar mit dieser Empfindung erfüllte: «Und der Wille liegt darin, der nicht stirbt. Wer kennt die Geheimnisse des Willens und seine Stärke? Denn Gott ist nichts als ein großer Wille, der aufgrund seiner Entschlossenheit alle Dinge durchdringt. Der Mensch unterwirft sich nicht den Engeln noch dem Tode ganz, es sei denn durch die Schwäche seines kraftlosen Willens.»

Die Dauer der Jahre und nachfolgende Überlegung haben mich in den Stand gesetzt, in der Tat eine entfernte Beziehung zwischen diesem Absatz des englischen Moralisten und einem Teil von Ligeias Charakter aufzuspüren. Eine Eindringlichkeit im Denken, Handeln und Sprechen war möglicherweise bei ihr ein Ergebnis oder zumindest Anzeichen jener ungeheuren Willenskraft, die während unserer langen Verbindung keinen anderen oder unmittelbareren Beweis für

Of all the women whom I have ever known, she, the outwardly calm, the ever-placid Ligeia, was the most violently a prey to the tumultuous vultures of stern passion. And of such passion I could form no estimate, save by the miraculous expansion of those eyes which at once so delighted and appalled me – by the almost magical melody, modulation, distinctness, and placidity of her very low voice – and by the fierce energy (rendered doubly effective by contrast with her manner of utterance) of the wild words which she habitually uttered.

I have spoken of the learning of Ligeia: it was immense – such as I have never known in woman. In the classical tongues was she deeply proficient, and as far as my own acquaintance extended in regard to the modern dialects of Europe, I have never known her at fault. Indeed upon any theme of the most admired, because simply the most abstruse of the boasted erudition of the academy, have I *ever* found Ligeia at fault? How singularly – how thrillingly, this one point in the nature of my wife has forced itself, at this late period only, upon my attention! I said her knowledge was such as I have never known in woman – but where breathes the man who has traversed, and successfully, *all* the wide areas of moral, physical, and mathematical science? I saw not then what I now clearly perceive, that the acquisitions of Ligeia were gigantic, were astounding; yet I was sufficiently aware of her infinite supremacy to resign myself, with a childlike confidence, to her guidance through the chaotic world of metaphysical investigation at which I was most busily occupied during the earlier years of our marriage. With how vast a triumph – with how vivid a delight – with how much of all that is ethereal in hope – did I *feel*, as she bent
162 over me in studies but little sought – but less
163 known – that delicious vista by slow degrees ex-

ihr Vorhandensein erbrachte. Von allen Frauen, die ich je gekannt habe, war sie, die äußerlich ruhige, die stets gelassene Ligeia am meisten eine Beute der wilden Geier unerbittlicher Leidenschaft. Von dieser Leidenschaft konnte ich mir keine Vorstellung machen außer durch den wundersamen Umfang jener Augen, die mich zugleich entzückten und erschreckten – durch die fast zauberische Sprachmelodie, den Tonfall, die Klarheit und Gelassenheit ihrer sehr leisen Stimme – und durch die ungestüme Energie (die der Gegensatz zu ihrer Sprechweise doppelt wirkungsvoll machte) der heftigen Worte, welche sie gewohnt war zu äußern.

Ich habe von Ligeias Bildung gesprochen: Sie war grenzenlos – wie ich sie bei einer Frau nie gekannt habe. In den klassischen Sprachen war sie gründlich bewandert, und soweit ich mich selbst in den modernen Sprachen Europas auskenne, habe ich bei ihr nie einen Fehler entdeckt. Habe ich etwa jemals festgestellt, daß Ligeia sich geirrt hätte bei irgendeinem der Themen der hochgerühmten akademischen Gelehrsamkeit, die am meisten bewundert werden einfach deshalb, weil sie am unverständlichsten sind? In welch einzigartiger – in welch erregender Weise hat sich diese eine Eigentümlichkeit im Wesen meiner Frau zu diesem späten Zeitpunkt erst in mein Bewußtsein gedrängt! Ich sagte, ihre Bildung war von einer Art, wie ich sie nie bei einer Frau gekannt habe; aber wo lebt der Mann, der – zudem erfolgreich – alle weiten Gefilde der moralischen, physikalischen und mathematischen Wissenschaft durchmessen hätte? Ich sah damals nicht, was ich jetzt klar erkenne: daß Ligeias Wissen ungeheuer, daß es staunenswert war; doch war ich mir ihrer unendlichen Überlegenheit in ausreichendem Maße bewußt, um mich mit kindlichem Vertrauen ihrer Führung durch die chaotische Welt der metaphysischen Forschung zu überlassen, die mich in den frühen Jahren unserer Ehe so sehr beschäftigte. Mit welch großer Siegesfreude – mit welch lebhaftem Entzücken – mit wie viel von dem, was an der Hoffnung himmlischer Geist ist, fühlte ich, während sie sich bei wenig gefragten, noch weniger bekannten Studien über mich beugte, wie sich nach und nach der herrliche

panding before me, down whose long, gorgeous, and all untrodden path, I might at length pass onward to the goal of a wisdom too divinely precious not to be forbidden!

How poignant, then, must have been the grief with which, after some years, I beheld my well-grounded expectations take wings to themselves and fly away! Without Ligeia I was but as a child groping benighted. Her presence, her readings alone, rendered vividly luminous the many mysteries of the transcendentalism in which we were immersed. Wanting the radiant lustre of her eyes, letters, lambent and golden, grew duller than Saturnian lead. And now those eyes shone less and less frequently upon the pages over which I pored. Ligeia grew ill. The wild eyes blazed with a too – too glorious effulgence; the pale fingers became of the transparent waxen hue of the grave, and the blue veins upon the lofty forehead swelled and sank impetuously with the tides of the most gentle emotion. I saw that she must die – and I struggled desperately in spirit with the grim Azrael. And the struggles of the passionate wife were, to my astonishment, even more energetic than my own. There had been much in her stern nature to impress me with the belief that, to her, death would have come without its terrors; – but not so. Words are impotent to convey any just idea of the fierceness of resistance with which she wrestled with the Shadow. I groaned in anguish at the pitiable spectacle. I would have soothed – I would have reasoned; but, in the intensity of her wild desire for life, – for life – *but* for life – solace and reason were alike the uttermost of folly. Yet not until the last instance, amid the most convulsive writhings of her fierce spirit, was shaken the external placidity of her demeanour. Her voice grew more gentle – grew more low – yet I would not wish to dwell upon the wild

Ausblick vor mir öffnete, auf dessen langem, wunderbaren, noch völlig unbetretenen Pfad ich schließlich das Ziel der Weisheit würde erreichen können – einer Weisheit von so göttlicher Kostbarkeit, daß sie verboten werden mußte!

Wie bitter mußte also der Schmerz sein, mit dem ich nach einigen Jahren sah, daß meine wohlbegründeten Erwartungen Flügel bekamen und davonflogen! Ohne Ligeia war ich nur ein Kind, das in der Finsternis umhertastet. Ihre Gegenwart, allein schon ihr Vorlesen, verlieh den vielen Geheimnissen des Transzendentalismus, in die wir hineingetaucht waren, lebhaften Glanz. Ohne den strahlenden Schimmer ihrer Augen wurden golden funkelnde Buchstaben stumpfer als das Blei Saturns. Und nun leuchteten diese Augen immer weniger häufig über den Seiten, in die ich vertieft war. Ligeia erkrankte. In den wilden Augen flammte ein allzu wunderbarer Schein; die bleichen Finger nahmen die wächserndurchsichtige Färbung des Grabes an, und die blauen Adern auf der hohen Stirn schwollen ungestüm an und ab mit den Gezeiten der sanftesten Empfindung.

Ich sah, daß sie sterben mußte – und kämpfte im Geiste verzweifelt mit dem grimmigen Asrael. Aber die Kämpfe des leidenschaftlichen Weibes waren zu meinem Erstaunen noch kraftvoller als meine. Vieles in ihrer strengen Natur hatte mich glauben lassen, daß zu ihr der Tod ohne seine Schrecken kommen würde – doch dem war nicht so. Worte können keine angemessene Vorstellung von der Heftigkeit des Widerstandes vermitteln, mit der sie sich dem Großen Schatten widersetzte. Ich stöhnte vor Qual bei dem jammervollen Anblick. Ich hätte besänftigen – hätte die Vernunft sprechen lassen mögen; doch angesichts der Eindringlichkeit ihres wilden Verlangens nach Leben – Leben – nur nach Leben – waren Trost und Vernunft gleichermaßen äußerste Torheit. Aber erst ganz zuletzt wurde unter den konvulsivischen Zuckungen ihres wilden Geistes die äußere Gelassenheit ihres Verhaltens erschüttert. Ihre Stimme wurde noch sanfter – wurde noch leiser –, doch ich möchte nicht näher auf die wilde Bedeutung der ruhig geäußerten Worte eingehen. Mir

meaning of the quietly uttered words. My brain reeled as I hearkened entranced, to a melody more than mortal – to assumptions and aspirations which mortality had never before known.

That she loved me I should not have doubted; and I might have been easily aware that, in a bosom such as hers, love would have reigned no ordinary passion. But in death only, was I fully impressed with the strength of her affection. For long hours, detaining my hand, would she pour out before me the overflowing of a heart whose more than passionate devotion amounted to idolatry. How had I deserved to be so blessed by such confessions? – how had I deserved to be so cursed with the removal of my beloved in the hour of her making them? But upon this subject I cannot bear to dilate. Let me say only, that in Ligeia's more than womanly abandonment to a love, alas! all unmerited, all unworthily bestowed, I at length recognized the principle of her longing with so wildly earnest a desire for the life which was now fleeing so rapidly away. It is this wild longing – it is this eager vehemence of desire for life – *but* for life – that I have no power to portray – no utterance capable of expressing.

At high noon of the night in which she departed, beckoning me, peremptorily, to her side, she bade me repeat certain verses composed by herself not many days before. I obeyed her. – They were these:

Lo! 'tis a gala night
Within the lonesome latter years!
An angel throng, bewinged, bedight
In veils, and drowned in tears,
Sit in a theatre, to see
A play of hopes and fears,
While the orchestra breathes fitfully
The music of the spheres.

drehte sich der Kopf, als ich hingerissen Klängen lauschte, die über alles Sterbliche hinausgingen – Vermutungen und Sehnsüchten, die bis dahin den Sterblichen unbekannt gewesen waren.

Daß sie mich liebte, sollte ich nicht bezweifelt haben; und ich hätte mir fraglos dessen bewußt sein können, daß in einer Brust wie der ihren die Liebe über keine gewöhnliche Leidenschaft herrschte. Doch erst im Tod prägte sich mir die Stärke ihrer Zuneigung ganz ein. Während langer Stunden hielt sie meine Hand und schüttete mir ihr übervolles Herz aus, dessen mehr als leidenschaftliche Hingabe an Anbetung grenzte. Womit hatte ich den Segen solcher Bekenntnisse verdient? Womit hatte ich den Fluch verdient, daß mir meine Geliebte in der Stunde genommen wurde, in der sie diese Bekenntnisse aussprach? Aber ich ertrage es nicht, dieses Thema weiter zu verfolgen. Lassen Sie mich nur sagen, daß ich in Ligeias mehr als weiblichem Preisgegebensein an eine Liebe, die, ach, völlig unverdient einem gänzlich Unwürdigen geschenkt wurde, am Ende das Gesetz ihres sehnsüchtigen, wilden, ernsten Verlangens nach dem Leben erkannte, das nun so rasch entfloh. Diese wilde Sehnsucht – diese drängende Gewalt ihres Verlangens nach Leben – nur Leben – vermag ich nicht zu schildern – kann ich mit Worten nicht zum Ausdruck bringen.

Am Mittag vor dem Abend, an dem sie dahinschied, winkte sie mich gebieterisch an ihre Seite und bat mich, ihr einige Verse vorzutragen, die sie selbst nur wenige Tage zuvor verfaßt hatte. Ich tat ihr den Willen. Es waren folgende:

Siehe! Ein festlicher Abend findet statt
in den einsamen späteren Jahren!
Eine Schar von Engeln, geflügelt und verschleiert
und tränenüberströmt,
sitzt in einem Theater, um
ein Spiel voller Hoffnungen und Ängste anzusehen,
während das Orchester wie in Anfällen
Sphärenmusik verlauten läßt.

Mimes, in the form of God on high,
Mutter and mumble low,
And hither and thither fly –
Mere puppets they, who come and go
At bidding of vast formless things
That shift the scenery to and fro,
Flapping from out their Condor wings
Invisible Woe!

That motley drama! – oh, be sure
It shall not be forgot!
With its Phantom chased forever more,
By a crowd that seize it not,
Through a circle that ever returneth in
To the self-same spot,
And much of Madness and more of Sin
And Horror the soul of the plot.

But see, amid the mimic rout,
A crawling shape intrude!
A blood-red thing that writhes from out
The scenic solitude!
It writhes! – it writhes! – with mortal pangs
The mimes become its food,
And the seraphs sob at vermin fangs
In human gore imbued.

Out – out are the lights – out all!
And over each quivering form,
The curtain, a funeral pall,
Comes down with the rush of a storm,
And the angels, all pallid and wan,
Uprising, unveiling, affirm
That the play is the tragedy, "Man",
And its hero the Conqueror Worm.

"O God!" half shrieked Ligeia, leaping to her feet and extending her arms aloft with a spasmodic
168 movement, as I made an end of these lines – "Oh
169 God! O Divine Father! – shall these things be un-

Possenspieler in der Gestalt des Gottes hoch droben
murren und murmeln leise
und eilen hierhin und dorthin –
Puppen nur, die kommen und gehen
auf das Geheiß großer, formloser Dinge,
welche die Kulissen hin und herschieben
und mit den Schlägen ihrer Kondorflügel
unsichtbares Leid verbreiten!

Dies Narrenschauspiel! – Oh, mit Sicherheit
wird es nicht vergessen werden!
Mit seinem Phantom, das auf ewig gejagt wird
von einer Menge, die es nicht ergreifen kann,
in einem Kreis, der ewig in sich zurückkehrt
an ein und denselben Fleck,
mit viel Wahnsinn und noch mehr Sünde
und Schrecken als Triebfedern der Handlung.

Doch seht, wie mitten im Trupp der Spieler
eine kriechende Gestalt hereindrängt!
Ein blutrotes Ding, das sich heranwindet
aus der Einsamkeit des Bühnenraumes!
Es windet sich! – Es windet sich! – Unter Todesqual
werden die Spieler seine Beute;
die Engel schluchzen angesichts der Raubtierzähne,
die mit menschlichem Blut benetzt sind.

Aus – aus sind die Lichter – alle!
Und über jeder zuckenden Gestalt
fällt der Vorhang, ein Leichentuch,
mit der Gewalt eines Sturmes,
und alle Engel, bleich und blaß,
stehen auf, entschleiern sich und bestätigen:
Das Spiel ist die Tragödie «Der Mensch»
und sein Held der Eroberer Wurm.

«O Gott!» schrie Ligeia fast, sprang auf die Füße und warf die Arme mit einer krampfhaften Bewegung in die Luft, als ich diese Zeilen zu Ende gelesen hatte – «O Gott! O himmlischer Vater! – Sollen diese Dinge ohne Ausnahme so

deviatingly so? – shall this Conqueror be not once conquered? Are we not part and parcel in Thee? Who – who knoweth the mysteries of the will with its vigour? Man doth not yield him to the angels, *nor unto death utterly,* save only through the weakness of his feeble will."

And now, as if exhausted with emotion, she suffered her white arms to fall, and returned solemnly to her bed of death. And as she breathed her last sighs, there came mingled with them a low murmur from her lips. I bent to them my ear and distinguished again, the concluding words of the passage in Glanvill – *"Man doth not yield him to the angels, nor unto death utterly, save only through the weakness of his feeble will."*

She died; – and I, crushed into the very dust with sorrow, could no longer endure the lonely desolation of my dwelling in the dim and decaying city by the Rhine. I had no lack of what the world calls wealth. Ligeia had brought me far more, very far more than ordinarily falls to the lot of mortals. After a few months, therefore, of weary and aimless wandering, I purchased, and put in some repair, an abbey, which I shall not name, in one of the wildest and least frequented portions of fair England. The gloomy and dreary grandeur of the building, the almost savage aspect of the domain, the many melancholy and time-honoured memories connected with both, had much in unison with the feelings of utter abandonment which had driven me into that remote and unsocial region of the country. Yet although the external abbey, with its verdant decay hanging about it, suffered but little alteration, I gave way, with a child-like perversity, and perchance with a faint hope of alleviating my sorrows, to a display of more than regal magnifi-
170 cence within. – For such follies, even in childhood,
171 I had imbibed a taste, and now they came back to

sein? Soll denn dieser Eroberer nicht ein einziges Mal besiegt werden? Sind wir nicht ein Teil von dir? Wer – wer kennt die Geheimnisse des Willens und seine Stärke? Der Mensch unterwirft sich nicht den Engeln noch dem Tode ganz, es sei denn durch die Schwäche seines kraftlosen Willens.»

Als ob die Erregung sie erschöpft hätte, ließ sie nun ihre weißen Arme fallen und kehrte feierlich auf ihr Totenbett zurück. Und als sie ihre letzten Atemzüge tat, kam zusammen mit ihnen ein leises Murmeln über ihre Lippen. Ich beugte mein Ohr hinab und vernahm wiederum die letzten Worte des Absatzes von Glanvill –

«Der Mensch unterwirft sich nicht den Engeln noch dem Tode ganz, es sei denn durch die Schwäche seines kraftlosen Willens.»

Sie starb; und ich, den das Leid zu Boden geschmettert hatte, konnte die einsame Abgeschiedenheit meines Wohnsitzes in der dunklen, verfallenden Stadt am Rhein nicht länger ertragen. Mir fehlte es nicht an dem, was die Welt Reichtum nennt. Ligeia hatte mir viel mehr, sehr viel mehr mitgebracht als normalerweise den Sterblichen zufällt. Nach einigen Monaten müden und ziellosen Herumwanderns kaufte ich darum ein Kloster, dessen Namen ich nicht nennen werde, in einer der wildesten und verlassensten Gegenden des schönen England und setzte es einigermaßen instand. Die schwermütige, düstere Erhabenheit des Gebäudes, das geradezu verwilderte Aussehen der Ländereien, die vielen melancholischen und altehrwürdigen Erinnerungen, die sich mit beiden verbanden, stimmten weitgehend überein mit dem Gefühl äußerster Verlassenheit, das mich in jenen entfernten, unwirtlichen Teil des Landes getrieben hatte. Während nun das Äußere des Klosters – mit dem herabhängenden Grün des Verfalls – nur wenig Veränderung erfuhr, erlaubte ich mir mit kindlichem Eigensinn und vielleicht in der schwachen Hoffnung, dadurch mein Leid zu mildern, im Inneren eine mehr als königliche Pracht zu entfalten. – An solchen Torheiten hatte ich schon als Kind Geschmack entwickelt, und nun holten sie mich wieder ein, so

me as if in the dotage of grief. Alas, I feel how much even of incipient madness might have been discovered in the gorgeous and fantastic draperies, in the solemn carvings of Egypt, in the wild cornices and furniture, in the Bedlam patterns of the carpets of tufted gold! I had become a bounden slave in the trammels of opium, and my labours and my orders had taken a colouring from my dreams. But these absurdities I must not pause to detail. Let me speak only of that one chamber, ever accursed, whither in a moment of mental alienation, I led from the altar as my bride – as the successor of the unforgotten Ligeia – the fair-haired and blue-eyed Lady Rowena Trevanion, of Tremaine.

There is no individual portion of the architecture and decoration of that bridal chamber which is not now visible before me. Where were the souls of the haughty family of the bride, when, through thirst of gold, they permitted to pass the threshold of an apartment *so* bedecked, a maiden and a daughter so beloved? I have said that I minutely remember the details of the chamber – yet I am sadly forgetful on topics of deep moment – and here there was no system, no keeping, in the fantastic display, to take hold upon the memory. The room lay in a high turret of the castellated abbey, was pentagonal in shape, and of capacious size. Occupying the whole southern face of the pentagon was the sole window – and immense sheet of unbroken glass from Venice – a single pane, and tinted of a leaden hue, so that the rays of either the sun or moon, passing through it, fell with a ghastly lustre on the objects within. Over the upper portion of this huge window, extended the trelliswork of an aged vine, which clambered up the massy walls of the turret. The ceiling, of gloomy-looking oak, was excessively lofty, vaulted, and elaborately fretted with the wildest and most grotesque specimens of a semi-

als wäre ich vor Kummer nicht bei Verstand. Ach, mein Gefühl sagt mir, daß selbst ein Gutteil beginnenden Wahnsinns in den prunkvollen, phantastischen Wandbehängen hätte entdeckt werden können, in den feierlichen ägyptischen Schnitzereien, in den verrückten Gesimsen und Möbeln, in den irrsinnigen Mustern der Teppiche aus üppigem Goldstoff! Ich war zu einem gefesselten Sklaven in den Netzen des Opiums geworden, und meine Träume hatten auf meine Arbeit und meine Anordnungen abgefärbt. Doch bei Einzelheiten dieser Absurditäten darf ich nicht verweilen. Lassen Sie mich nur von dem einen, ewig verfluchten Zimmer sprechen: Dorthin führte ich in einem geistesgestörten Augenblick vom Traualtar die blonde, blauäugige Lady Rowena Trevanion von Tremaine – als meine Braut, als Nachfolgerin der unvergessenen Ligeia.

Es gibt keinen einzigen Bestandteil der Architektur und der Ausstattung jenes bräutlichen Gemaches, den ich jetzt nicht vor Augen hätte. Wo hatte die vornehme Familie der Braut ihr Herz, als sie einer derart geliebten Jungfrau und Tochter aus Goldgier gestattete, die Schwelle eines derart geschmückten Raumes zu überschreiten? Ich sagte, daß ich mich genau an die Einzelheiten des Zimmers erinnere – wohingegen ich in einer beklagenswerten Weise vergeßlich bin in Fragen von tiefer Bedeutung –, und hier gab es kein System und keine Harmonie in der phantastischen Prachtentfaltung, die sich dem Gedächtnis hätte einprägen können. Der Raum lag in einem hohen Turm des burgartigen Klosters, war fünfeckig in der Form und von geräumiger Größe. Die ganze südliche Seite des Fünfecks nahm das einzige Fenster ein – eine ungeheuer große, dünne, durchgehende Glasplatte aus Venedig – eine einzige Scheibe von bleierner Färbung, so daß die Strahlen der Sonne wie auch des Mondes, die hindurchfielen, einen geisterhaften Glanz auf die Gegenstände drinnen warfen. Über den oberen Teil dieses riesigen Fensters erstreckte sich das Gitterwerk für eine alte Kletterpflanze, die an den dicken Wänden des Turmes emporrankte. Die Decke aus düsterem Eichenholz war außerordentlich hoch, gewölbt und sorgfältig verziert mit höchst wilden und

Gothic, semi-Druidical device. From out the most central recess of this melancholy vaulting, depended, by a single chain of gold with long links, a huge censer of the same metal, Saracenic in pattern, and with many perforations so contrived that there writhed in and out of them, as if endued with a serpent vitality, a continual succession of parti-coloured fires.

Some few ottomans and golden candelabra, of Eastern figure, were in various stations about – and there was the couch, too – the bridal couch – of an Indian model, and low, and sculptured of solid ebony, with a pall-like canopy above. In each of the angles of the chamber stood on end a gigantic sarcophagus of black granite, from the tombs of the kings over against Luxor, with their aged lids full of immemorial sculpture. But in the draping of the apartment lay, alas! the chief phantasy of all. The lofty walls, gigantic in height – even unproportionably so – were hung from summit to foot, in vast folds, with a heavy and massive-looking tapestry – tapestry of a material which was found alike as a carpet on the floor, as a covering for the ottomans and the ebony bed, as a canopy for the bed, and as the gorgeous volutes of the curtains which partially shaded the window. The material was the richest cloth of gold. It was spotted all over, at irregular intervals, with arabesque figures, about a foot in diameter, and wrought upon the cloth in patterns of the most jetty black. But these figures partook of the true character of the arabesque only when regarded from a single point of view. By a contrivance now common, and indeed traceable to a very remote period of antiquity, they were made changeable in aspect. To one entering the room, they bore the appearance of simple monstrosities;
174 but upon a farther advance, this appearance gradu-
175 ally departed; and step by step, as the visitor moved

grotesken Beispielen einer halb gotischen, halb druidischen Erfindungskunst. Aus der hohen Mitte dieses melancholischen Gewölbes hing an einer einzigen, großgliedrigen Kette aus Gold ein gewaltiges Weihrauchgefäß aus demselben Metall herab, das sarazenisch in der Machart war und dessen viele Durchbrechungen so entworfen waren, daß sich wie mit schlangenhafter Lebendigkeit eine unaufhörliche Folge verschiedenfarbiger Feuer durch sie hinein- und hinauswand.

An verschiedenen Stellen befanden sich einige wenige Ottomanen und goldene Kandelaber von orientalischem Aussehen – und auch die Liegestatt war da – die bräutliche Liegestatt –, nach indischem Vorbild, niedrig und aus massivem Ebenholz geschnitzt, mit einem bahrtuchartigen Himmel. In jeder Ecke des Zimmers stand aufrecht ein riesiger Sarkophag aus schwarzem Granit; sie stammten aus den Königsgräbern gegenüber von Luxor, und ihre alten Deckel waren voller unsterblicher Reliefs. Doch ach, die meiste Phantasie steckte in den Stoffverkleidungen des Zimmers. Die emporstrebenden Wände – die eine ungeheure, jedes Maß sprengende Höhe hatten – waren von oben bis unten von den breiten Falten eines schweren, wuchtig aussehenden Behangs bedeckt – der aus einem Material war, das ebenso als Teppich auf dem Boden verwendet worden war, als Decke für die Ottomanen und das Ebenholzbett, als Betthimmel und für die prächtigen, schneckenförmigen Drapierungen der Vorhänge, die zum Teil das Fenster verdeckten. Es handelte sich um den prunkvollsten Goldstoff. Er war überall in unregelmäßigen Abständen mit arabesken Figuren bedeckt, deren Durchmesser etwa einen Fuß betrug und die in tiefschwarzen Mustern auf das Tuch gearbeitet waren. Doch diese Figuren zeigten die wahre Eigenart des Arabesken nur, wenn sie von einem ganz bestimmten Punkt aus betrachtet wurden. Durch eine heute allgemein bekannte Kunstfertigkeit, die sich sogar bis auf eine weit zurückliegende Epoche der Antike zurückverfolgen läßt, waren sie veränderlich in der Erscheinung gemacht worden. Für den, der den Raum betrat, sahen sie aus wie einfache Mißgestalten; ging man jedoch weiter, ließ dieser Eindruck allmählich nach; und während der Besucher

his station in the chamber, he saw himself surrounded by an endless succession of the ghastly forms which belong to the superstition of the Norman, or arise in the guilty slumbers of the monk. The phantasmagoric effect was vastly heightened by the artificial introduction of a strong continual current of wind behind the draperies – giving a hideous and uneasy animation to the whole.

In halls such as these – in a bridal chamber such as this – I passed, with the Lady of Tremaine, the unhallowed hours of the first month of our marriage – passed them with but little disquietude. That my wife dreaded the fierce moodiness of my temper – that she shunned me and loved me but little – I could not help perceiving; but it gave me rather pleasure than otherwise. I loathed her with a hatred belonging more to demon than to man. My memory flew back (oh, with what intensity of regret!) to Ligeia, the beloved, the august, the beautiful, the entombed. I revelled in recollections of her purity, of her wisdom, of her lofty, her ethereal nature, of her passionate, her idolatrous love. Now, then, did my spirit fully and freely burn with more than all the fires of her own. In the excitement of my opium dreams (for I was habitually fettered in the shackles of the drug) I would call aloud upon her name, during the silence of the night, or among the sheltered recesses of the glens by day, as if, through the wild eagerness, the solemn passion, the consuming ardour of my longing for the departed, I could restore her to the pathway she had abandoned – ah, *could* it be forever? – upon the earth.

About the commencement of the second month of the marriage, the Lady Rowena was attacked with sudden illness, from which her recovery was
176 slow. The fever which consumed her rendered her
177 nights uneasy; and in her perturbed state of half-

seinen Standort im Zimmer änderte, sah er sich Schritt für Schritt umgeben von einer endlosen Folge der grausigen Figuren, die zum Aberglauben der Normannen gehören oder in den schuldbeladenen Träumen der Mönche aufsteigen. Die gespenstische Wirkung wurde ungemein erhöht durch die künstliche Hinzufügung einer ständigen starken Luftströmung hinter den Wandbehängen – die dem Ganzen eine schreckliche, beklemmende Lebendigkeit gab.

In Räumen wie diesen – in einem Brautgemach wie diesem – verbrachte ich mit der Lady von Tremaine die unheiligen Stunden des ersten Monats unserer Ehe – ohne allzu große Unruhe. Daß meine Frau die wilden Launen meines Temperamentes fürchtete, daß sie mich mied und nur wenig liebte, konnte ich nicht umhin zu bemerken; aber es erfüllte mich eher mit Vergnügen. Ich verabscheute sie mit einem Haß, der mehr zu einem Dämon als zu einem Menschen paßte. Mein Gedächtnis flüchtete sich (ach, mit welch durchdringendem Schmerz) zurück zu Ligeia, der geliebten, der herrlichen, der schönen, der begrabenen. Ich schwelgte in Erinnerungen an ihre Reinheit, ihren Verstand, ihr edles, ihr ätherisches Wesen, ihre leidenschaftliche, ihre anbetende Liebe.

Jetzt war mein Geist voll und offen entflammt und stärker noch, als der ihre entbrannt gewesen war. In der Erregung meiner Opiumträume (denn die Fesseln der Droge waren mir zu gewohnten Banden geworden) rief ich oftmals laut ihren Namen – in der Stille der Nacht oder in den geschützten Winkeln der Schluchten am Tag, als ob ich durch den wilden Eifer, die feierliche Leidenschaft und die verzehrende Glut meiner Sehnsucht nach der Dahingeschiedenen sie dem Erdenpfade wiedergeben könnte, den sie verlassen hatte – ach, konnte es denn für immer sein?

Zu Beginn des zweiten Monats unserer Ehe wurde die Lady Rowena von plötzlicher Krankheit ergriffen, von der sie sich nur langsam erholte. Das Fieber, das an ihr zehrte, machte ihre Nächte unruhig; und in ihrem verwirrten, halbwachen Zustand sprach sie von Geräuschen und Bewegungen

slumber, she spoke of sounds, and of motions, in and about the chamber of the turret, which I concluded had no origin save in the distemper of her fancy, or perhaps in the phantasmagoric influences of the chamber itself. She became at length convalescent – finally well. Yet but a brief period elapsed, ere a second more violent disorder again threw her upon a bed of suffering; and from this attack her frame, at all times feeble, never altogether recovered. Her illnesses were, after this epoch, of alarming character, and of more alarming recurrence, defying alike the knowledge and the great exertions of her physicians. With the increase of the chronic disease which had thus, apparently, taken too sure hold upon her constitution to be eradicated by human means, I could not fail to observe a similar increase in the nervous irritationof her temperament, and in her excitability by trivial causes of fear. She spoke again, and now more frequently and pertinaciously, of the sounds – of the slight sounds – and of the unusual motions among the tapestries, to which she had formerly alluded.

One night, near the closing in of September, she pressed this distressing subject with more than usual emphasis upon my attention. She had just awakened from an unquiet slumber, and I had been watching, with feelings half of anxiety, half of vague terror, the workings of her emaciated countenance. I sat by the side of her ebony bed, upon one of the ottomans of India. She partly arose, and spoke, in an earnest low whisper, of sounds which she *then* heard, but which I could not hear – of motions which she *then* saw, but which I could not perceive. The wind was rushing hurriedly behind the tapestries, and I wished to show her (what, let me confess it, I could not *all* believe) that those almost inarticulate breathings, and those very gen-

178
179

ringsum im Turmzimmer, von denen ich annahm, daß sie ihrer verstörten Phantasie entsprangen oder vielleicht den gespensterhaften Wirkungen des Raumes selbst. Langsam genas sie – und war schließlich wieder gesund. Doch verging nur eine kurze Zeit, bevor eine zweite, heftigere Störung sie erneut aufs Krankenlager warf; von diesem zweiten Angriff erholte sich ihr von jeher schwacher Körper nie wieder ganz. Hinfort waren ihre Erkrankungen von beunruhigender Art und noch beunruhigenderer Häufigkeit und trotzten gleichermaßen dem Wissen wie den großen Anstrengungen ihrer Ärzte.

Mit der Verschlimmerung der chronischen Krankheit, die sich auf diese Weise ihrer Konstitution offenbar so sehr bemächtigt hatte, daß sie durch menschliche Mittel nicht zu heilen war, ging – wie ich nicht umhin konnte zu bemerken – eine ähnliche Verschlimmerung in dem nervösen Reizzustand ihres Wesens einher und in der Erregbarkeit durch geringfügige Anlässe zur Furcht. Sie sprach wieder und jetzt häufiger und beharrlicher von den Geräuschen – den leisen Geräuschen – und den ungewöhnlichen Bewegungen zwischen den Wandbehängen, auf die sie früher schon hingewiesen hatte.

Eines Abends, als der September sich seinem Ende näherte, lenkte Rowena mit ungewöhnlichem Nachdruck meine Aufmerksamkeit auf dieses quälende Thema. Sie war gerade aus einem unruhigen Schlummer erwacht, und ich hatte mit einem Gefühl aus Angst und unbestimmtem Entsetzen die Zuckungen in ihrem ausgezehrten Gesicht beobachtet. Ich saß neben ihrem Ebenholzbett auf einer der indischen Ottomanen. Sie richtete sich teilweise auf und sprach in ernstem, leisen Flüsterton von Geräuschen, die sie gerade hörte, die ich jedoch nicht hören konnte – von Bewegungen, die sie gerade sah, die ich jedoch nicht wahrnehmen konnte. Ein schneller Luftzug fegte hinter den Wandbehängen entlang, und ich wollte ihr zeigen (was ich, um es zuzugeben, nicht ganz glauben konnte), daß dieses fast nicht vernehmbare Atmen und diese ganz leichten Veränderungen der Figuren an den Wänden nur die natürlichen Auswirkungen des ge-

tle variations of the figures upon the wall, were but the natural effects of that customary rushing of the wind. But a deadly pallor, overspreading her face, had proved to me that my exertions to reassure her would be fruitless. She appeared to be fainting, and no attendants were within call. I remembered where was deposited a decanter of light wine which had been ordered by her physicians, and hastened across the chamber to procure it. But, as I stepped beneath the light of the censer, two circumstances of a startling nature attracted my attention. I had felt that some palpable although invisible object had passed lightly by my person; and I saw that there lay upon the golden carpet, in the very middle of the rich lustre thrown from the censer, a shadow – a faint, indefinite shadow of angelic aspect – such as might be fancied for the shadow of a shade. But I was wild with the excitement of an immoderate dose of opium, and heeded these things but little, nor spoke of them to Rowena. Having found the wine, I recrossed the chamber, and poured out a gobletful, which I held to the lips of the fainting lady. She had now partially recovered, however, and took the vessel herself, while I sank upon an ottoman near me, with my eyes fastened upon her person. It was then that I became distinctly aware of a gentle footfall upon the carpet, and near the couch, and in a second thereafter, as Rowena was in the act of raising the wine to her lips, I saw, or may have dreamed that I saw, fall within the goblet, as if from some invisible spring in the atmosphere of the room, three or four large drops of a brilliant and ruby-coloured fluid. If this I saw – not so Rowena. She swallowed the wine unhesitatingly, and I forbore to speak to her of a circumstance which must, after all, I considered, have been the suggestion of a
180 vivid imagination, rendered morbidly active by the
181 terror of the lady, by the opium, and by the hour.

wohnten Luftzuges waren. Doch eine tödliche Blässe, die ihr ganzes Gesicht überzog, hatte mir bewiesen, daß meine Bemühungen, sie zu beruhigen, fruchtlos sein würden. Sie schien ohnmächtig zu werden, und es waren keine Diener in Rufweite. Mir fiel ein, wo eine Karaffe mit leichtem Wein stand, den die Ärzte ihr verordnet hatten, und ich durchquerte eilends den Raum, um sie zu holen. Aber als ich in den Lichtschein des Weihrauchgefäßes trat, wurde meine Aufmerksamkeit von zwei Umständen gefesselt, die mich aufschrecken ließen. Ich hatte gefühlt, daß irgendein greifbares, wenn auch unsichtbares Objekt sich schwerelos an mir vorbeibewegt hatte; und ich sah, daß genau in der Mitte des hellen Glanzes, den das Weihrauchgefäß verbreitete, ein Schatten auf dem goldenen Teppich lag – ein leichter, unbestimmter Schatten von engelhaftem Aussehen, den man für den Schatten eines Schattens halten konnte. Doch war ich erfüllt von der wilden Erregung einer übermäßigen Dosis Opium und beachtete diese Dinge nur wenig, noch erwähnte ich sie Rowena gegenüber. Als ich den Wein gefunden hatte, ging ich zurück durch den Raum und schenkte ein Glas voll, das ich der von einer Ohnmacht bedrohten Lady an die Lippen hielt. Sie hatte sich nun jedoch ein wenig erholt und nahm das Gefäß selbst in die Hand, während ich auf eine neben mir stehende Ottomane sank und die Augen nicht von ihr ließ. In dem Augenblick wurde ich deutlich leise Schritte auf dem Teppich und in der Nähe des Bettes gewahr, und eine Sekunde danach, als Rowena gerade den Wein an die Lippen hob, sah ich – oder träumte vielleicht, daß ich sah, wie gleichsam aus einer unsichtbaren Quelle in der Atmosphäre des Raumes drei oder vier große Tropfen einer leuchtenden, rubinroten Flüssigkeit in das Glas fielen. Wenn ich es sah – Rowena sah es nicht. Sie trank den Wein, ohne zu zögern, und ich unterließ es, über einen Umstand mit ihr zu reden, der schließlich, wie ich dachte, die Eingebung einer lebhaften Phantasie gewesen sein mußte, die in schauerlicher Weise angeregt worden war durch das Entsetzen der Lady, durch das Opium und die Abendstunde.

Yet I cannot conceal it from my own perception that, immediately subsequent to the fall of the ruby-drops, a rapid change for the worse took place in the disorder of my wife; so that, on the third subsequent night, the hands of her menials prepared her for the tomb, and on the fourth, I sat alone, with her shrouded body, in that fantastic chamber which had received her as my bride. Wild visions, opium-engendered, flitted, shadow-like, before me. I gazed with unquiet eye upon the sarcophagi in the angles of the room, upon the varying figures of the drapery, and upon the writhing of the parti-coloured fires in the censer overhead. My eyes then fell, as I called to mind the circumstances of a former night, to the spot beneath the glare of the censer where I had seen the faint traces of the shadow. It was there, however, no longer; and breathing with greater freedom, I turned my glances to the pallid and rigid figure upon the bed. Then rushed upon me a thousand memories of Ligeia – and then came back upon my heart, with the turbulent violence of a flood, the whole of that unutterable woe with which I had regarded *her* thus enshrouded. The night waned; and still, with a bosom full of bitter thoughts of the one only and supremely beloved, I remained gazing upon the body of Rowena.

It might have been midnight, or perhaps earlier, or later, for I had taken no note of time, when a sob, low, gentle, but very distinct, startled me from my reverie. I *felt* that it came from the bed of ebony – the bed of death. I listened in an agony of superstitious terror – but there was no repetition of the sound. I strained my vision to detect any motion in the corpse – but there was not the slightest perceptible. Yet I could not have been deceived. I *had* heard the noise, however faint, and my soul was awakened within me. I resolutely and

Doch kann ich mir nicht verhehlen, daß unmittelbar nach dem Fallen der roten Tropfen die Krankheit meiner Frau sich rasch verschlimmerte, so daß am dritten darauffolgenden Abend die Hände ihrer Dienerinnen sie für das Grab zurechtmachten und ich am vierten allein mit ihrem eingehüllten Leichnam in jenem bizarren Raum saß, der sie als meine Braut empfangen hatte. Wilde Traumbilder, vom Opium hervorgerufen, huschten wie Schatten vor mir umher. Mit unruhigen Augen starrte ich auf die Sarkophage in den Ecken des Raumes, auf die veränderlichen Figuren der Wandbehänge und auf die verschiedenfarbigen Feuer, die sich durch das Weihrauchgefäß über meinem Kopf wanden. Dann, als ich mir die Umstände einer früheren Nacht ins Gedächtnis rief, fielen meine Augen auf den Fleck unter dem blendend hellen Weihrauchgefäß, wo ich die leichten Spuren des Schattens gesehen hatte. Er war jedoch nicht mehr da. Ich atmete freier und wendete meinen Blick dem bleichen und starren Körper auf dem Bett zu.

Da stürzten tausend Erinnerungen an Ligeia auf mich ein – und dann strömte mit der heftigen Gewalt einer Flutwelle das ganze unaussprechliche Leid in mein Innerstes zurück, mit dem ich sie angeschaut hatte, als sie in dieser Weise eingehüllt gewesen war. Der Abend verging; und immer noch starrte ich auf den Körper Rowenas – mit bitteren Gedanken im Herzen an die allein und über alle Maßen Geliebte.

Es mag um die Mitternacht gewesen sein, vielleicht auch früher oder später, denn ich hatte der Zeit keine Beachtung geschenkt, als ein leises, zartes, aber ganz deutliches Schluchzen mich aus meinem Traum hochschreckte. Ich fühlte, daß es vom Ebenholzbett kam – vom Totenbett. Ich lauschte, gepeinigt von abergläubischem Entsetzen – aber der Laut wiederholte sich nicht. Mit angestrengtem Blick versuchte ich, irgendeine Bewegung an dem Leichnam zu entdecken – doch es war nicht die geringste zu erkennen. Gleichwohl konnte ich mich nicht getäuscht haben. Ich hatte das Geräusch gehört, wie schwach es auch immer gewesen sein mochte, und meine Seele war erwacht. Entschlossen und

perseveringly kept my attention riveted upon the body. Many minutes elapsed before any circumstance occurred tending to throw light upon the mystery. At length it became evident that a slight, a very feeble, and barely noticeable tinge of colour had flushed up within the cheeks, and along the sunken small veins of the eyelids. Through a species of unutterable horror and awe, for which the language of mortality has no sufficiently energetic expression, I felt my heart cease to beat, my limbs grow rigid where I sat. Yet a sense of duty finally operated to restore my self-possession. I could no longer doubt that we had been precipitate in our preparations – that Rowena still lived. It was necessary that some immediate exertion be made; yet the turret was altogether apart from the portion of the abbey tenanted by the servants – there were none within call – I had no means of summoning them to my aid without leaving the room for many minutes – and this I could not venture to do. I therefore struggled alone in my endeavours to call back the spirit still hovering. In a short period it was certain, however, that a relapse had taken place; the colour disappeared from both eyelid and cheek, leaving a wanness even more than that of marble; the lips became doubly shrivelled and pinched up in the ghastly expression of death; a repulsive clamminess and coldness overspread rapidly the surface of the body; and all the usual rigorous stiffness immediately supervened. I fell back with a shudder upon the couch from which I had been so startlingly aroused, and again gave myself up to passionate waking visions of Ligeia.

An hour thus elapsed when (could it be possible?) I was a second time aware of some vague sound issuing from the region of the bed. I listened – in
184 extremity of horror. The sound came again – it was
185 a sigh. Rushing to the corpse, I saw – distinct-

beharrlich, mit gespannter Aufmerksamkeit beobachtete ich den Körper. Viele Minuten verstrichen, bevor irgendwelche Umstände eintraten, die dazu beitrugen, daß Licht in das geheimnisvolle Dunkel fiel. Schließlich wurde offenbar, daß ein leichter, ganz schwacher, kaum wahrnehmbarer Hauch von Farbe auf den Wangen aufgeflammt war und entlang den kleinen, eingesunkenen Blutgefäßen der Augenlider. Erfaßt von einem so unsagbaren Entsetzen und Grauen, daß die Sprache der Sterblichen keinen hinreichend kraftvollen Ausdruck dafür hat, fühlte ich, wie mein Herz aufhörte zu schlagen, wie meine Glieder dort, wo ich saß, erstarrten. Doch endlich machte sich das Pflichtgefühl bemerkbar und gab mir die Selbstbeherrschung zurück. Ich konnte nicht länger daran zweifeln, daß unsere Vorbereitungen übereilt gewesen waren – daß Rowena noch lebte. Es war notwendig, daß sich sofort jemand um sie bemühte; doch der Turm war völlig abgelegen von dem Teil des Klosters, der von den Dienern bewohnt wurde – es waren keine in Rufweite – ich hatte keine Möglichkeit, sie zu meiner Unterstützung herbeizuholen, ohne den Raum viele Minuten lang zu verlassen – und das zu tun konnte ich nicht wagen. Deshalb kämpfte ich allein in dem Bemühen, den noch zögernden Geist zurückzurufen. In kurzer Zeit war jedoch sicher, daß ein Rückfall stattgefunden hatte; die Farbe schwand von den Lidern und Wangen und ließ eine Blässe zurück, welche diejenige des Marmors noch übertraf; die Lippen waren doppelt so stark zusammengezogen und verkniffen im grausigen Ausdruck des Todes; eine abstoßende Feuchtigkeit und Kälte überzog rasch die Körperoberfläche; und unmittelbar darauf folgte die übliche, unerbittliche Starre. Mit einem Schauder fiel ich zurück auf die Liegestatt, von der ich mit solchem Schrecken hochgefahren war, und gab mich wiederum leidenschaftlichen Wachträumen von Ligeia anheim.

Eine Stunde war so vergangen, als ich (konnte es möglich sein?) zum zweiten Male einen unbestimmten Laut gewahr wurde, der von der Gegend des Bettes herkam. Ich lauschte – in äußerstem Entsetzen. Der Laut wiederholte sich – es war ein Seufzer. Ich stürzte zu dem Körper hin und sah – sah

ly saw – a tremor upon the lips. In a minute afterwards they relaxed, disclosing a bright line of the pearly teeth. Amazement now struggled in my bosom with the profound awe which had hitherto reigned there alone. I felt that my vision grew dim, that my reason wandered; and it was only by a violent effort that I at length succeeded in nerving myself to the task which duty thus once more had pointed out. There was now a partial glow upon the forehead and upon the cheek and throat; a perceptible warmth pervaded the whole frame; there was even a slight pulsation at the heart. The lady *lived*; and with redoubled ardour I betook myself to the task of restoration. I chafed and bathed the temples and the hands, and used every exertion which experience, and no little medical reading, could suggest. But in vain. Suddenly, the colour fled, the pulsation ceased, the lips resumed the expression of the dead, and, in an instant afterwards, the whole body took upon itself the icy chilliness, the livid hue, the intense rigidity, the sunken outline, and all the loathsome peculiarities of that which has been, for many days, a tenant of the tomb.

And again I sunk into visions of Ligeia – and agian (what marvel that I shudder while I write?) *again* there reached my ears a low sob from the region of the ebony bed. But why shall I minutely detail the unspeakable horrors of that night? Why shall I pause to relate how, time after time, until near the period of the gray dawn, this hideous drama of revivification was repeated; how each terrific relapse was only into a sterner and apparently more irredeemable death; how each agony wore the aspect of a struggle with some invisible foe; and how each struggle was succeeded by I know not what of wild change in the personal appear-
186 ance of the corpse? Let me hurry to a conclusion.

187 The greater part of the fearful night had worn

genau – ein Zittern auf den Lippen. Nach einer Minute entspannten sie sich und gaben eine glänzende Reihe perlenartiger Zähne frei. Erstaunen kämpfte jetzt in meiner Brust mit dem tiefen Grauen, das bis dahin allein dort geherrscht hatte. Ich fühlte, daß mein Blick sich verschleierte, daß mein Verstand abschweifte; nur mit heftiger Anstrengung gelang es mir schließlich, mich zu der Aufgabe durchzuringen, auf die das Pflichtgefühl mich ein weiteres Mal hingewiesen hatte. Jetzt lag eine Röte teilweise auf der Stirn und auf den Wangen sowie auf dem Hals; eine fühlbare Wärme durchdrang die ganze Gestalt; sogar ein leichter Herzschlag war zu spüren. Die Lady lebte; und mit verdoppeltem Eifer machte ich mich an die Aufgabe, sie zu kräftigen. Ich rieb und befeuchtete die Schläfen und die Hände und wendete jede Mühe an, die Erfahrung und eine nicht geringe medizinische Belesenheit nahelegten. Doch vergebens. Mit einem Mal floh die Farbe, der Pulsschlag hörte auf, die Lippen hatten wieder den Ausdruck des Todes, und einen Augenblick später nahm der ganze Körper die eisige Kälte an, die bleiche Färbung, die eindringliche Starre, die eingefallenen Konturen und all die anderen hassenswerten Eigenarten, die ihn kennzeichnen, wenn er seit vielen Tagen ein Grabgewölbe bewohnt hat.

Und wieder versank ich in Träume von Ligeia, und wieder (ist es ein Wunder, daß mich schaudert, während ich schreibe) – wieder drang ein leises Schluchzen an mein Ohr. Aber warum sollte ich die unsagbaren Schrecken jener Nacht in allen Einzelheiten aufzeichnen? Warum sollte ich innehalten, um zu berichten, wie sich Mal um Mal, fast bis zum Zeitpunkt der grauen Morgendämmerung, dieses gräßliche Drama der Wiederbelebung wiederholte; wie jeder entsetzliche Rückfall nur zu einem noch unnachgiebigeren, unabänderlicheren Tod führte; wie jedes Ringen ein Kampf gegen irgendeinen unsichtbaren Feind zu sein schien; und wie jeder Kampf gefolgt wurde von einer unbegreiflichen, wilden Veränderung in der äußeren Erscheinung des Körpers? Lassen Sie mich eilends zum Schluß kommen.

Der größere Teil der furchtbaren Nacht war vergangen,

away, and she who had been dead, once again stirred – and now more vigorously than hitherto, although arousing from a dissolution more appalling in its utter hopelessness than any. I had long ceased to struggle or to move, and remained sitting rigidly upon the ottoman, a helpless prey to a whirl of violent emotions, of which extreme awe was perhaps the least terrible, the least consuming. The corpse, I repeat, stirred, and now more vigorously than before. The hues of life flushed up with unwonted energy into the countenance – the limbs relaxed – and, save that the eyelids were yet pressed heavily together, and that the bandages and draperies of the grave still imparted their charnel character to the figure, I might have dreamed that Rowena had indeed shaken off, utterly, the fetters of Death. But if this idea was not, even then, altogether adopted, I could at least doubt no longer, when arising from the bed, tottering, with feeble steps, with closed eyes, and with the manner of one bewildered in a dream, the thing that was enshrouded advanced boldly and palpably into the middle of the apartment.

I trembled not – I stirred not – for a crowd of unutterable fancies connected with the air, the stature, the demeanour of the figure, rushing hurriedly through my brain, had paralysed – had chilled me into stone. I stirred not – but gazed upon the apparition. There was a mad disorder in my thoughts – a tumult unappeasable. Could it, indeed, be the *living* Rowena who confronted me? Could it indeed be Rowena *at all* – the fair-haired, the blue-eyed Lady Rowena Trevanion of Tremaine? Why, *why* should I doubt it? The bandage lay heavily about the mouth – but then might it not be the mouth of the breathing Lady of Tremaine? And
188 the cheeks – there were the roses as in her noon
189 of life – yes, these might indeed be the fair cheeks

und sie, die gestorben gewesen war, regte sich ein weiteres Mal – und nun kraftvoller als zuvor, obgleich sie aus einem Tod erwachte, der in seiner völligen Hoffnungslosigkeit entsetzlicher gewesen war als jeder bisherige. Ich hatte längst aufgehört, zu kämpfen oder mich zu rühren, und blieb starr auf der Ottomane sitzen – hilflose Beute eines Strudels heftiger Gefühle, von denen höchstes Grauen vielleicht noch das am wenigsten schreckliche, am wenigsten vernichtende war. Der Körper, wie gesagt, bewegte sich, und nun kraftvoller als vorher. Die Farben des Lebens flammten mit ungewohnter Kraft im Gesicht auf – die Glieder entspannten sich – und abgesehen davon, daß die Augenlider noch fest zusammengepreßt waren und die Binden und Tücher des Grabes der Gestalt noch den Leichencharakter gaben, hätte ich mir einbilden können, daß Rowena tatsächlich die Fesseln des Todes gänzlich abgeschüttelt hatte.

Aber wenn ich mir diesen Gedanken auch selbst zu diesem Zeitpunkt noch nicht völlig zu eigen machte, so konnte ich zumindest nicht länger zweifeln, als sich das verhüllte Etwas vom Bett erhob und schwankenden und schwachen Schrittes, mit geschlossenen Augen und wie in einem Traum befangen kühn und greifbar in die Mitte des Raumes trat.

Ich zitterte nicht – ich bewegte mich nicht – denn eine Vielzahl unaussprechlicher Phantasien, die sich mit dem Erscheinungsbild, der Größe, dem Auftreten der Gestalt verbanden, gingen mir in rasender Eile durch den Kopf und lähmten mich – ließen mich zu Stein erstarren. Ich bewegte mich nicht – sondern blickte unverwandt die geisterhafte Figur an. Ein wahnsinniges Durcheinander herrschte in meinen Gedanken – ein nicht zu besänftigender Aufruhr. Konnte es wirklich die lebendige Rowena sein, die mir gegenüberstand? Konnte es denn überhaupt Rowena sein – die blonde, blauäugige Lady Rowena Trevanion von Tremaine? Warum, warum sollte ich daran zweifeln? Die Binde lag schwer um den Mund – aber konnte es denn nicht der Mund der atmenden Lady von Tremaine sein? Und die Wangen – sie waren rosenfarben wie in der Blüte ihres Lebens – ja, sie

of the living Lady of Tremaine. And the chin, with its dimples, as in health, might it not be hers? – but *had she then grown taller since her malady*? What inexpressible madness seized me with that thought? One bound, and I had reached her feet! Shrinking form my touch, she let fall from her head, unloosened, the ghastly cerements which had confined it, and there streamed forth, into the rushing atmosphere of the chamber, huge masses of long and dishevelled hair; *it was blacker than the raven wings of the midnight!* And now slowly opened *the eyes* of the figure which stood before me. "Here then, at least," I shrieked aloud, "can I never – can I never be mistaken – these are the full, and the black, and the wild eyes – of my lost love – of the lady – of the LADY LIGEIA."

konnten wirklich die schönen Wangen der lebendigen Lady von Tremaine sein. Und das Kinn mit seinen Grübchen, wie in ihren gesunden Zeiten, konnte das nicht ihres sein? – Aber war sie denn größer geworden seit ihrer Krankheit? Welch unbeschreiblicher Wahnsinn ergriff mich bei dem Gedanken? Ein Satz, und ich hatte sie erreicht. Sie wich vor meiner Berührung zurück, ließ die nun gelockerten, grausigen Leichentücher fallen, die ihren Kopf umwunden hatten, und in die windbewegte Atmosphäre des Raumes strömten gewaltige Wogen langer, ungeordneter Haare; sie waren schwärzer als die Rabenflügel der Mitternacht! Und nun öffneten sich langsam die Augen der Gestalt, die vor mir stand. «Hierin wenigstens», schrie ich auf, «kann ich mich niemals – niemals irren – das sind die großen, die schwarzen, die wilden Augen meiner verlorenen Geliebten – der Lady – der Lady Ligeia.»

Am 19.1.1809 wird Edgar Poe als Sohn umherziehender Schauspieler in Boston geboren. 1810 verläßt sein Vater die Familie; 1811 stirbt seine Mutter. Poe wird von dem Kaufmann John Allan in Richmond aufgenommen, allerdings nie adoptiert. Als die Familie Allan 1815–20 in England lebt, besucht Poe dort die Schule. Mit 17 Jahren kommt er auf die Universität von Virginia, verläßt sie aber nach einem Jahr im Streit mit seinem Pflegevater, der ihn finanziell zu kurz hält. Es folgen fast vier Jahre Militärzeit, zuletzt in der Military Academy in West Point, nach einer vorübergehenden Aussöhnung mit seinem Pflegevater, von dem Poe sich nicht geliebt und nicht verstanden fühlt, was nach nur sieben Monaten in West Point zum endgültigen Bruch führt. Poe beginnt ein selbständiges, bis zuletzt von Geldnöten und Entbehrungen geprägtes Leben als Schriftsteller, Kritiker und Redakteur von literarischen Magazinen. 1836 heiratet er seine 1822 geborene Cousine Virginia Clemm; 1847 stirbt sie an Tuberkulose, der Krankheit, die auch seiner Mutter den Tod gebracht hatte. Poes eigenes Leben endet am 7.10. 1849 in Baltimore.

Im Amerika des 19. Jahrhunderts war Poe wenig anerkannt; seine literaturgeschichtliche Bedeutung hingegen ist groß. Seine Dichtungen und Schriften üben starken Einfluß auf die französischen Symbolisten aus, seine theoretischen Forderungen zur Erzählkunst stellen den Beginn der amerikanischen Kurzgeschichte dar; mit der Figur des Monsieur C. Auguste Dupin hat er die moderne Detektivgeschichte begründet, und mit einigen Erzählungen weist er voraus auf die spätere Gattung der Science Fiction. Was heutige Leser aber wohl am meisten fasziniert, ist Poes Einsicht in die schreckensvollen Möglichkeiten und Gefährdungen der menschlichen Seele bis hin zu Spaltung und Zerstörung der Persönlichkeit. Alle Geschichten dieses Bändchens schildern Grenzerfahrungen verschiedener Art; alle bewegen sich von realen Verhältnissen in surreale Dimensionen menschlichen Erlebens.